炎上するバカさせるバカ

負のネット言論史

中川淳一郎
Junichiro Nakagawa

小学館新書

炎上するバカさせるバカ

目次

本書に登場する主な炎上騒動

8

序章● 炎上は日本人最大の娯楽となった……11

誰かの失言や愚行を待ち続ける／ＤａｉＧｏの生活保護差別発言／張本勲は前からこうだった／ネットメディアのＰＶ稼ぎのため

第一章● 炎上が社会を動かす……23

「ネット民主主義」は異常である／インターネット人事部の誕生／舛添氏はただ「セコかった」だけ／なぜ小池氏は叩かれないのか／ネットの「みんなの声」のバカさ加減／伝説の「田代祭」「川崎祭」／ネット投票は基本眉唾モノ／「＃ねえねえ尾身さん」信者たち／もはやオーミ真理教／「まんだらけ」の犯人晒し／クレームへの毅然とした反論／「マスゴミ」はなぜ忌み嫌われるか／ＳＭＡＰいじめと擁護／別になくても困らない仕事／「はい、嘘松。単なる創作」

第二章●炎上の主役のスターバカ軍団……69
2014年はすさまじい「当たり年」／テレビ発ネット有名人の登場／「捜査のプロ」なる人物／迷惑系YouTuberへの進化／元祖「バカッター騒動」／バカッターの世代交代／ハイリスクほぼノーリターン／「特定班」という日本のCIA／特定されて内定辞退／知り合いが鬼女だった／「上級国民」の誕生／五輪エンブレム問題／デザイン料200億円のデマ／思えば初期の五輪ネタはのどかだった／もう純粋に楽しめない／「悪魔化」した安倍晋三氏

第三章●炎上がもたらした悲劇……119
ドラマの「ヒール」設定で自殺／スマイリーキクチ事件／竹内結子さん急逝で元夫に批判／芸能人サンドバッグ／「有名人だから甘んじろ」という意識／イラク人質事件以降の自己責任論／当事者性を持つこと／ネットコンテンツとしての「嫌韓」／フジテレビへのデモ／ソウルフードは韓国料理？／被害者

でさえ炎上させられる異常性／理不尽過ぎた辻希美の炎上／アンチを客にするしたたかさ／プロは配慮をしまくっている／「ひとこと」の重さを知らない／一旦ツイッターをやめざるを得なかった

第四章 ● 炎上を見れば人間が分かる……169

「めっちゃ天皇！」／『はだしのゲン』の天皇批判／右翼を恐れなくなった／まさかの「天皇陛下くそかわいい」／東京駅１００周年記念Ｓｕｉｃａ騒動／ツイッターが牧歌的だった時代／ニセ鳩山由紀夫登場／２０１０年「つぶやき」革命／東日本大震災とコロナとネット／「拡散希望」でデマ広がる／「不謹慎厨」の発生／中国をバカにしていたが今や完敗／チャイナボカンシリーズ／メディアの「若者の○○離れ」に反発／若者の「交通事故」離れ／勝手に消費低迷の元凶にするな／ネット炎上のルーツ「嫌儲」とは／ネットで儲けることへの嫌悪感／クリスマス粉砕デモ／リア充コンプレックスの加速化／非リアでもいいじゃないか／「ウェブ２・０」崩壊／さよならコメント欄／ネットの善意に期待するのは無理／コロナ「ヤバ過ぎ派」と「騒ぎ過ぎ派」／福島差別と東京差別／「コロナも震災も似たようなものです」

終章● 炎上するバカさせるバカ……245
コロナは思想であり宗教／救い神のような扱いの専門家／どちらも救いようがない

本書に登場する主な炎上騒動

2003年5月　居酒屋店員を殴ったと投稿した女性に対する「JOY祭り」
2004年4月　イラク人質事件で「自己責任論争」
2007年12月　吉野家アルバイト店員「テラ豚丼」動画投稿が発覚
2008年1月　ラジオ番組で倖田來未「羊水腐る」発言
2011年3月　東日本大震災を契機とした「不謹慎厨」登場
2011年7月　高岡蒼甫のフジテレビ嫌韓発言。その後フジテレビデモ発生
2011年8月　フジテレビ系列の情報番組で「セシウムさん」テロップ映る
2013年7月　男子高校生がコンビニのアイスケースに入る姿を投稿。バカッター増殖
2014年4月　小保方晴子、論文不正会見で「STAP細胞はありまぁす」
2014年7月　兵庫県議の野々村竜太郎が号泣謝罪会見

2015年7月　東京五輪エンブレムに剽窃疑惑が浮上

2017年3月　WBC山田哲人のホームランを少年がキャッチし2塁打に

2019年2月　コンビニ店員、商品のおでんを口に入れる姿を投稿。バカッター再発

2019年4月　池袋暴走事故。「上級国民」が流行語に

2019年10月　木下優樹菜、タピオカ屋店長に恫喝騒動

2020年5月　〝迷惑系YouTuber〟へずまりゅう、未会計の刺身を食す

2020年5月　『テラスハウス』出演のプロレスラー・木村花自殺

2021年2月　森喜朗「女性は話が長い」発言で五輪組織委会長辞任

2021年7月　五輪開会式音楽担当の小山田圭吾、過去の「障害者いじめ」発覚で辞任

2021年8月　メンタリスト・DaiGoの「生活保護」差別発言

2021年9月　政府コロナ分科会の尾身茂会長が理事長を務める病院に補助金問題

序章

炎上は日本人最大の娯楽となった

誰かの失言や愚行を待ち続ける

日本では1990年代後半から本格的に開始したネットの歴史は炎上の歴史でもある。2007年3月に発売された『ブログ炎上～Web2・0時代のリスクとチャンス』（伊地知晋一・アスキービジネス）が初めて書籍のタイトルにネットに関する「炎上」の言葉を入れた。

それまでの「炎上」に関する書籍は、戦国時代ものが多く、どこかの城が炎上したことを主題にした作品が主流だった。

ネットでの情報発信は、一部の人々にとっては莫大な利益をもたらしてくれる。しかし、当然炎上というリスクもあるわけで書き込む内容、動画での発信には注意をしなくてはならない。炎上をした場合、一般人も著名人もその一発で人生が没落することもあり得る。

2013年に猛威を振るった「バカッター騒動」などはその最たるものである。「バカ」と「ツイッター」を合わせた造語で、愚行をいちいちネットに公開し、炎上し、クレームが殺到する一連の流れのことを指す。

記念すべき第一弾とされるのは、高知県内のコンビニのアイスクリームのケースに入った男子高校生が炎上し、父親が経営する同店は某コンビニチェーンからフランチャイズ契約を解除された件。東京都内のソバ屋では、バイトの男性が食洗器に入る様子をツイッターに公開し、「不衛生だ！」と炎上。結局同店は廃業となり、経営者はこの男性とその親を訴えた。他にも親の所属先である企業や本人の学校が突き止められ、電凸（電話突撃）が相次ぎ業務妨害のような状態になる例が続出した。

炎上については、社会正義的に批判する面に加えて、愚行や失言を徹底的に叩くことによる正義感の発露といった面もある。あとは、「人の不幸は蜜の味」で、とにかく常時誰かを炎上させたくなるメンタリティが今の日本のネット空間には存在する。

炎上させたい人は一斉にスクラムを組んでターゲットを狙い撃ちする。そして、その対象が燃え尽きるまで攻撃を続け、すぐに次のターゲットを定めて攻撃をする。ネットがなかった時代には発生しなかったこの現象だが、とにかく誰かの失言や愚行を日々待ち続け、叩くチャンスを一般人もメディアも虎視眈々と狙い、それで収益を上げたり留飲を下げたりする状態になっている。

ＤａｉＧｏの生活保護差別発言

２０２１年８月、メンタリストＤａｉＧｏ氏が自身のＹｏｕＴｕｂｅチャンネルでホームレスと生活保護受給者を差別する発言をして大炎上した。

この動画の論旨としては、高額納税者である同氏が生活保護受給者のために税金を納めているわけではなく、むしろ（自分の好きな）ネコを救ってほしく、生活保護受給者が生きていても自身は得をしない、というもの。さらにはホームレスも不要だとし、「邪魔だし臭い」と述べた。完全に一線を越えた暴論である。

その後同氏は反論動画を公開したが、次々と批判が寄せられ、結局「無知が招いた失態」と謝罪をし、困窮生活を送る人について勉強することを宣言した。ただし、同氏に対しては、困窮者を支援する４団体が共同で批判的な声明を発表。全体としては長文だが、その中の「２　ＤａｉＧｏ氏の発言の問題点」にはこうある。

〈ホームレスの人や生活保護利用者の命は要らないとする、ＤａｉＧｏ氏の一連の発言は、人の命に優劣をつけ、価値のない命は抹殺してもかまわない、という「優生思想」そのものであり、断じて容認できるものではありません。これらの発言は、差別を煽動する明確な意図に基づいて行われたものであり、現に、路上生活者に対する差別に基づいた襲撃事件が後を絶たない中、さらなるヘイトクライムを誘発する危険のある、極めて悪質な発言と言わざるを得ません。

また、貧困や生活困窮に陥ることについては、社会的な要因があり、これを社会全体で支え、生存権を保障するための制度として生活保護制度があるということについて、根本的な理解を欠いた発言であると言えます〉

こうした状況を受けて朝日新聞出版が運営する「ＡＥＲＡ．ｄｏｔ」は「ＤａｉＧｏ差別発言の炎上収まらず　ＹｏｕＴｕｂｅチャンネル凍結されれば、ビジネスモデル崩壊も」という記事を掲載。炎上をさらに加速させた。

張本勲は前からこうだった

また、野球解説者の張本勲氏は、レギュラー出演する『サンデーモーニング』（ＴＢＳ系）で、東京五輪女子ボクシングフェザー級の金メダリスト・入江聖奈に対し「女性でも殴り合いが好きな人がいるんだ。嫁入り前のお嬢ちゃんが顔を殴り合って、こんな競技が好きな人がいるんだ」と発言。

これが大炎上した。東京五輪組織委員会会長だった森喜朗氏が「女性は話が長い」と発言して炎上し、辞任に追い込まれたのと同じように「男の老害が女性差別をしている」といった文脈で捉えられた。張本氏は「今回は言い方を間違えて反省してます。以後、気をつけます」と翌週に謝罪した。以後、張本氏は番組中での昭和男性的発言を封印気味だ。同氏の発言はどう考えても頓珍漢ではあるものの、『サンデーモーニング』を毎週見ている人からすれば「はいはい、ハリー（張本氏のこと）がまたバカなこと言ってるね（笑）」的な扱いだったことだろう。とにかく同氏はこのような発言をこの20年ほど続けているのである。

張本氏の過去の素っ頓狂な発言では、番組で女子カーリングについて取り上げた時に突然こう言ったものもある。

「この人たちはいい奥さんになりそうだねぇ〜」

これには司会の関口宏氏もキョトンとし、「どういうことですか？」と聞いたら張本氏はこう答えた。

「掃除が上手そうじゃないですか」

カーリングという競技は、「ストーン」と呼ばれる円形の石を円形の的に向けて滑らせ、それを基に点数をつける競技である。相手のストーンを的の外にはじき出せば相手の点数を減らすことができる。

ストーンを滑らせる選手と、スウィーパーというブラシ状の道具で氷上をこすり、ストーンの位置を調整する選手によって構成される。

張本氏は、スウィーパーを使ってあたかも氷上を掃くような動きを見せた選手を見て「掃除が上手そうじゃないですか」と言ったのだ。

さらに、卓球ダブルスで伊藤美誠(みま)と平野美宇(みう)が試合中に作戦会議のように喋っていたところ、張本氏は「何喋ってるのかな？　試合が終わったらケーキでも食べに行こうかな、とか言ってるのかな。かわいいねぇ」的なことを言った。

これらの発言の頃はまだ各ニュースサイトが現在ほどはテレビ番組を基に記事を作っていなかったため、記事化はされなかった。もしもされていたら同様に大炎上していたことだろう。

ネットメディアのＰＶ稼ぎのため

ボクシングのコメントに対するネットの炎上は、すべては広告収入に繋がるアクセス数（ＰＶ＝Ｐａｇｅ Ｖｉｅｗ）稼ぎをしたいネットメディアの「コタツ記事（一切取材をせずテレビやネットを見て書ける記事）」が普段番組を見ない層にこの発言を届け、炎上させたのである。

メディアはあくまでも炎上を特定著名人に押し付け、ＰＶというおいしい部分のみ獲得するのである。元々ネット炎上については、不用意な発言をした一般人が、匿名掲示板・2ちゃんねる（現・5ちゃんねる）等でボコボコに叩かれ、身元が特定されたり、ブログのコメント欄に批判が殺到することが定番だった。

だが、２００８年、歌手の倖田來未（こうだくみ）がラジオ番組で「35歳を過ぎるとお母さんの羊水が腐る」と発言をし、それをネットニュースが報じてからはテレビ・ラジオ・ＳＮＳ・ブログ・ＹｏｕＴｕｂｅ等での発言もニュース化され、炎上が頻発するようになった。

さらには、著名人だけでなく、「バカッター」に代表されるように、無名の一般人であっても愚行や失言や差別的発言をするとまずは炎上し、それが記事化され、炎上がより活発化し、最後はアカウント削除という形で「延焼」するのである。

とにかく今の時代、炎上は人々の娯楽として身近な存在になっているのだ。

本書は、〈「クリエイティブ×ビジネス」をテーマに、新たなイノベーションを生むウェブメディア〉をコンセプトとしたサイト「FINDERS」で2019年5月から連載している「令和ネット漂流記」をベースとし、大幅加筆している。

ネットの炎上の歴史を毎度その時々の時流に合わせて紹介しているが、「炎上の歴史」というものはまとめられていることはないので、同サイトの編集長・米田智彦氏（私と同年齢）から「淳ちゃん、一度まとめない？」と連載オファーがあり、編集部の岩見旦氏が編集を加えてくれた。

炎上のほとんどはどうしようもないもので、意味もなく単に暇人が一瞬のムカつき感情を大勢で一瞬にして爆発させ、その当事者を数日間奈落の底に突き落とす。組織の場合であれば、会議に次ぐ会議を行い、対応を検討。推敲に推敲を重ねた公式文書を発信してもそこに粗（あら）を見つけ、再び炎上させる。ほとんどの場合、炎上させる側の人生とはさほど関係がないことが多いのだが、公の場に我が貴重な御意見様を書くことができるようになった無辜（むこ）の民は自身の意見が世直しになるとでも思っているのか、単に誰かを叩くのが趣味かのごとく、日々炎上案件を見つけてはその祭りに参加している。小室圭さんについては、もう4年近く炎上が続いている。

日々発生する炎上は、まさにその瞬間、ないしは数日間の娯楽として消費されるものの、当事者にとっては深い傷を残すこともある。

これまで、無数の炎上騒動が発生したが、これらの歴史を一つ一つまとめて振り返るのは、その時代の人間の性（さが）を示すことになるのではないか――。そんなところから当連載は開始したが、炎上の歴史というものは、本当にどうしようもない人間の愚かな面を暴き出してくれるものである。そうした愚かな面について今一度振り返り、まともな人生を送る一助となれば幸いである。

「令和ネット漂流記」執筆にあたっては、その都度「今の時代と関連した炎上騒動は何があったかな……」という題材の発掘から始まり、記憶やメモを紡ぎ合わせ、検索をして過去の人々がネットに残した記録をまとめていった。本書はそういった意味で、膨大なネットユーザーがしこしこと記録した炎上の歴史の総括と言えよう。一体この人たちはなんのためにこの記録をするのだろうか、とも思うが、炎上というものは人々の心をどこか揺さぶるものなのだろう。だからこそ私もこの連載を2年以上続けることができ、こうして今回書籍の形でまとめられた。テーマは政治、経済、芸能、災害、天皇制、東京五輪、バカ、そしてコロナなど多岐にわたる。

「あったあった」「こんなバカなことでなぜ炎上するの?」「どうでもいいじゃん」と思えるような珍騒動をかなり網羅した。これもまた人間の性である。

第一章

炎上が社会を動かす

「ネット民主主義」は異常である

2021年7月14日、東京五輪開会式の9日前に開会式の楽曲担当がミュージシャンの小山田圭吾氏に決定したと発表された。この時、1994年と95年に雑誌で語っていた学生時代の「障害者いじめ」がネットで取沙汰され、同氏が担当者としてふさわしくない、と五輪開幕直前に大炎上。結果的に同氏は東京五輪のひのき舞台から撤退した。小山田氏のツイッターでの謝罪は16日、辞任は19日だった。とんでもないドタバタ劇の末、23日に開会式は実施され、そしてその内容が酷評された。

小山田氏の〝いじめ〟関連の話題は同氏の名前がネットニュースで取り上げられる度にぶり返されてきたが、この時は過去最大とも言える燃えっぷりだった。この件については、「音楽関係者の間では有名な話だったが……」といった文脈で報道されたが、実際は「2ちゃんねるで有名な話だった」ということだろう。

思えば東京五輪はネットユーザーが様々な人事や決定に影響を与え続けてきた大会である。組織委員会や東京都、政府は反発の声に脅え、様々な変更をしてきた。「ネットで反対の声があがっている」という体で新聞・テレビ・ニュースサイトが報じ、そこから「祭」が開始。一斉に関係者を非難し、一度決まったことを覆す、ということばかりだった。一部振り返ってみる。

「エンブレム〝パクリ〟騒動により撤回」「新国立競技場、予算がオーバーし過ぎ変更」「舛添要一前東京都知事が採用したボランティアのユニフォームがダサ過ぎる、と撤回」「森喜朗・前組織委会長〝女性蔑視〟発言で辞任・後任候補だった川淵三郎氏へも反発が巻き起こり撤回」「聖火リレー一部中止」「五輪は中止にすべし、の意見殺到。妥協案として一都三県は無観客に」「元々有観客だった札幌ドームも無観客に」

そして、小山田氏の件である。あまりに批判の声が強く、小山田氏は辞任した。そして、コントコンビ・ラーメンズの元メンバーである小林賢太郎氏も23年前のコントにおける「ユダヤ人虐殺ごっこ」というものが発掘され、五輪開会式の演出担当を解任された。コントを見ると「ユダヤ人虐殺ごっこ」については、「そんなものは放送できないだろ！」という文脈なのだが、ホロコーストの被害者であるユダヤ人を揶揄(やゆ)したとされ、同氏も身を引いた。

他にも、クリエイティブディレクターの電通出身の佐々木宏氏が芸人・渡辺直美が豚に扮する「オリンピッグ」という企画を考えたことをＬＩＮＥのブレインストーミングで書き、それが暴露されたことで、演出統括担当者を辞任した。日本は史上最高の27個の金メダル、そしてトータル58個のメダルを獲得したが、スポーツ以外の面においてはどうしようもない騒動ばかりが目立ち、麻生太郎氏が述べたように「呪われた五輪」だった。

最初の騒動とも言えるエンブレム問題は２０１５年のことだったが、東京五輪は常にネットの声に恐怖し、元々の企画の撤回を続けてきた。私はこの一連のネットの声を見続け、さらにその都度原稿執筆やコメント取材対応などをしてきたが、「一般人による人事介入」「一般人こそ最後の決定権者」という流れが強まった6年間だったように思う。エンブレム問題は日本の炎上史においても極めて重要なものなので、本書でも詳しく後に解説する。

こうした人事の撤回については「税金を使っているのだから当たり前だ！」というのも正論だが、よくぞ関係者はここまで毎回ネットの声に対応し続けられた、と感じている。

インターネット人事部の誕生

前項と関係しているが、ネットの普及が進むにつれ、ネットが完全に「社会」と化した。そうしたことから、メディアの情報収集先がネットになり、ネットで展開される炎上や各種諍い（いさかい）がニュースになる。

また、何らかのテレビの報道や、珍テロップは画面キャプチャーをされ、ネットの伝説になる。これについては後の項で述べるが、このような流れが今の時代のネット炎上の大きなパターンである。

①テレビが火をつける
②ネットニュースが関連したネタを出したりネットの声を紹介して追随する
③それを読んだネットの人々がその話題を大規模に燃やす
④この燃えたことや、「批判殺到」などのネタを再びテレビとネットニュースが報じ、完全に燃え尽きさせる

⑤この話題に関連した話題が再び取り上げられると「そう言えばあんなこともあった……」と再びネットがその関連話題について燃やす

東京五輪の例については前項で見てきた通りだが、東京五輪の際の都知事だった小池百合子氏の前任は舛添要一氏、そしてその前任は猪瀬直樹氏だった。

本書の論旨とは関係ないが、猪瀬氏は、2013年9月、ブエノスアイレスで行われたIOC総会にて、たどたどしい英語でこうスピーチを開始した。

「Tokyo is the city that is dynamic！」

Dynamicのところでボクシングのアッパーカットをするような動きを見せたが、このDynamicの発音がすさまじかったのである！「ダイナ」に続く「ミ」で急に音が上がり、「ック！」と続く。通常、Dynamicの発言は「ダイ」に続き「ナ」で急激に上がり、「ミック」で下がる。この時ネットでは猪瀬氏の発音にザワザワしたが、この時まだ同氏は人生順風満帆だった。我々も前年の2012年12月に就任したこの知事が、2期目の集大成として五輪を華々しく成功に導くと思っていた。

しかし、猪瀬氏はグーグル検索で「猪瀬」と入れると「かばん」が予測変換で出てくる事態に追い込まれた。これは、医療法人徳洲会グループから5000万円を受け取っていた件に関連する。これにより東京簡裁は公職選挙法違反（虚偽記入）の罪で罰金50万円の略式命令を猪瀬氏に出し、猪瀬氏は辞任に追い込まれた。

この時、猪瀬氏は都議会での委員会で公明党の議員から、5000万円の札束に見立てたブロック状のものを渡され、その5000万円を受け取ったとされるカバンに入れようとしたが、そのブロック状のものは入らなかった。

これが猪瀬氏を徹底的にダサ過ぎる存在にしたのだ。恐らく公明党の議員は「5000万円以上だったのでは？」と追及したかったのだろう。猪瀬氏は正直にその時使ったカバンを持ってきたのだが、入らなかった。なんとかして入れようとしてもチャックは閉まらない。

当然だが、ブロックは一切変形してくれないのだ。札束はチャックを閉めれば変型はしてくれる。5000万円を受け取ったのは大問題ではあるものの、結果的に返還しているわけだし、このグダグダパフォーマンスさえなければ猪瀬氏の辞任はなかったのでは、とも思う。

札束に見立てた5000万円分の紙を用意していれば、曲がってあのカバンには入っていたかもしれない。

あくまでも、ブロックが変型してくれなかったから、猪瀬氏は極悪人のような扱いをされ、ネットでは嘲笑と罵倒が殺到し、辞任に至った。ネットの声をベースとし、地上波メディアや新聞は一斉に猪瀬氏への攻撃を開始し、辞任に至った。これはネットとオールドメディアの見事なる連携プレイである。

もう、こうなると「インターネット人事部」は快感でしかないだろう。次なるターゲットは猪瀬氏の後任・舛添要一氏である。同氏に対して私はまったくシンパシーは感じない。「ただのセコい男」としか思えない。

舛添氏はただ「セコかった」だけ

舛添氏は福岡県北九州市の進学校・八幡高校の出身である。私の祖父が舛添氏の数学の教師だったが、1980年代、舛添氏が世に出てきた頃「舛添君は本当に賢かったね。頭が良かった」と言っていたのを覚えている。私の叔父は舛添氏と同学年だが「オレは舛添と学年1位をいつも争っていた」というのが自慢だった（事実かどうかは分からないが）。

そんな舛添氏だが、海外出張にファーストクラスを使い総額5700万円かかっていたこと、公用車を使って神奈川・湯河原の別荘へ行っていたこと、さらに正月休みに千葉県木更津市のリゾートホテル「ホテル三日月」へ家族と行った費用を会議費として政治資金報告書に記載した。これにより同氏はメディアからもネットからも都議会でも批判され、辞任に至った。

湯河原については、変形性股関節症だったこともあり、「風呂で脚が伸ばせる」と説明。その必要性について「また倒れて都民に迷惑をかけることがあってはいけない。早く体調を整えたいと思った」と会見で語った。

ホテル三日月については、「家族を連れて事務所スタッフと会議をしていた」のだという。だが、同氏の弁護士は主たる目的は家族旅行であることを認めた。ファーストクラスについては、同氏の著書『都知事失格』（2017年・小学館）ではこのように述べている。

「座席を格下げし、旅費をわずかばかり節約したとしても先方との交渉で失敗したのでは、かえって税金の無駄遣いである」

弁が立つだけに、一瞬納得しかけるのだが、生来の自慢体質と言い訳に終始する様で共感を得られない本だった。ただし、抜群に面白い。私は「日刊ゲンダイ」の書評では「読めば読むほど著者が嫌いになる不思議な良書」と評した。

「ネット人事部」の話に戻るが、テレビは繰り返し猪瀬氏が慌ててブロックをカバンに入れる様を報じ、「説明責任ガー！」と非難し、ネットは猪瀬氏のことを嘲笑し、挙句の果てには背が小さいことを揶揄する。返還をしたのに許す者はおらず、ネットは猪瀬氏叩きに熱狂し、テレビはこの様子を見て同氏を叩けば数字が取れると判断し、同氏は辞任した。

舛添氏についてはとにかく「セコいヤツ」というイメージが定着しただけに、「美術通」ということから政治資金で購入した中国の絹製品をはじめとした美術品のリスト提出を拒否したことなども含めて批判一辺倒の論調で報じた。

こうして舛添氏も辞任に至り、小池百合子都知事誕生に至るのだ。

なぜ小池氏は叩かれないのか

この時、テレビはメディア操縦と大衆の目くらましに長けた小池氏の側についた。豊洲市場の移転については、土壌の汚染問題を取り上げ、さらには地下の「盛り土」が問題であると連日「豊洲は危険です！」アピールをし、当初決まっていた移転時期を大幅に延ばす結果となった。小池氏は、「築地は守る、豊洲は生かす」という公約を掲げ、築地を2022年に「食のテーマパーク」と化すと宣言したがまったくそれが達成できる見込みはない。

小池氏は満員電車や待機児童をはじめとした「7つのゼロ」を選挙公約にしたが、一つも達成されていない。しかし、ネットで批判の声が噴出しないのは、テレビが報じないからである。猪瀬氏、舛添氏は叩きがいがある存在だった。それはネット民が共感してくれるからだ。だが、小池氏については、叩いたら女性蔑視だと見られることを恐れてか、滅多に叩かない。

小池氏は都知事就任から5年、たいした実績がないばかりか、コロナではむやみやたらに緊急事態宣言を発動。だが、ステイホームを呼び掛け、会見でフリップを駆使して「守ろう高齢者、防ごう重症化」などのキャッチフレーズを繰り出すその姿は「頼れるリーダー」と多くの都民ならず国民から解釈された。何しろ小池氏の会見は全国ネットでテレビで放送されたのだから。

そんな最中、2021年3月、神奈川県の黒岩祐治知事は、小池氏の嘘を暴露。小池氏は埼玉の大野元裕知事と千葉の森田健作知事（当時）が緊急事態宣言の延長に賛成していると黒岩氏に伝えた。その後、黒岩氏が大野氏に電話をしたことにより、大野氏は賛成していなかったことが明らかになったのだ。

緊急事態宣言の延長という、国民の自由を制限する行為を自らの判断の下（もと）、他県の知事を嘘も駆使して同調させたのが小池氏である。実に極悪人ではないか。この時こそテレビは猛烈に小池氏を叩いても良かったのだが、小池氏の支持率の高さもあってか、その方向には舵を切らなかった。当然ネットも反応は薄かった。

先の東京五輪関係の人事もそうだが、かくもテレビとネットが作る空気感に、政治家や公的な立場にいる人間は右往左往させられるのだ。完全にネットは人事部と化したのである。本当に正しいことよりもネット世論の方が強いのだ。

ネットの「みんなの声」のバカさ加減

ネットの声については、表面だけでなく、実態を見た方がいい。基本的に「文句を言いたい人間が何度も書く」という傾向があるのだ。ネット炎上の分析に詳しい東大の鳥海不二夫教授は、ネットの書き込みが一体誰によってされているのか、を分析する。たとえば、競泳の池江璃花子に対し、反五輪派が出場辞退を求める動きが2021年4月から5月に発生した。

当時池江は白血病から復活し、見事代表権を獲得。その時、反五輪派は「五輪で人々が集い、世界中からヤバいコロナの株が集まり人が大勢死ぬ」というロジックを構築。それに加えて反政権の思想から五輪反対を主張し、池江もこの殺人イベントに加担する悪者、ということで辞退するようSNSでコメントした。

鳥海氏は5月10日、「Yahoo!ニュース個人」で「池江璃花子選手への五輪出場辞退要請は誰が行っているのか」という記事を執筆。ここではこう分析されている。

〈全体の58・3％程度が応援、23・7％程度が辞退の要請でした、また、分析対象とした461アカウント中6・5％のアカウントが誹謗中傷に近いのではないかと思われるツイートを行っていました〉

当時の記事では「池江に辞退を求める声多数」といったものもあったが、実際は応援の方が多かったという調査結果である。そして、こう続く。

〈辞退を要請するツイートについては、1アカウント当たり3・4回のツイートを行っており、応援系の2・3回を大幅に上回っていました。辞退を求めるツイートを行う人はより多くのリプライを送っていたことが分かります〉

さらに、リプライのクラスタ分析の表を出したうえで、「応援系」と「辞退系」がどれだけの数があるかを示したところ、このようになった。

〈応援系である下の二つのクラスタが圧倒的に多く20，000を超えるアカウントが拡散を行っています、一方、上の辞退を求めるクラスタは1500弱のアカウントによる拡散でした、この点からも、応援をする人たちの方が圧倒的に多いということが分かります〉

同氏は何かネット炎上があると「実際のところ、どんな人がどれだけ書き込んでいるのか？」を分析し、数字で示す。この頃、「殺人五輪は決行すべきではない！」的論調の記事が多かった。その際に、「池江への批判殺到！」といった論調で池江が殺人大会を強行する象徴のように扱われていたのである。

鳥海氏のこの分析は、いわゆる「ネット世論」というものがノイジーマイノリティの意見によって形成されていることを示す。そして、その論調を利用したいメディアによって実態よりも大きく報じられる。それは、右派・左派両方のメディアで同様である。両方のスタンスのメディアはネットから都合の良い意見を拾い上げ「『○○』との批判の声があがった」と締めるのだ。

2020年5月、政府・与党は検察庁法改正案の今国会成立を断念した。ハッシュタグ「#検察庁法改正案に抗議します」が約600万ツイートされるなど、「みんなの声」が動かすことになった。安倍晋三総理（当時）に近いとされる東京高検検事長の黒川弘務氏の定年延長が閣議決定されたことから、〝独裁者〟である安倍氏のさらなる暴走を許すと捉えられ、こうした抗議の声があがった。

著名人も多く声をあげるなど、さすがにこの件は政権をビビらせ、結果黒川氏は辞意を表明し定年延長は見送られた。だが、実際あの時のネット上の空気感を見てみると、「いつもの反政権派」のオピニオンリーダーたち（フォロワーが多い人々）が、次々とこのハッシュタグを使い、そこに支持者が乗っかりトレンドを作ろうとする動きがあった。

前出・鳥海氏は「ツイッター上のオリンピック反対派はどのような人たちか」という記事も執筆しているが、こう分析している。

〈賛成派の1アカウント当たりの平均ツイート数が1・7回なのに対して、反対派の平均ツイート数が6・8回なのは反対派頑張りすぎだろという気はします〉

そうなのだ、反政権派（反自民党派）は、とにかく熱量がすさまじいのだ。「#検察庁法改正案に抗議します」も同様である。

定年延長の件はネットの声が閣議決定を撤回させた。私はこのハッシュタグ運動にはかかわらなかったが、反発を食らうのが目に見えている閣議決定を政府はなぜやるか？　とは思った。これは不可解な政治をネットが実際に動かした例だが、時にネットの「みんなの声」はロクでもない結果をもたらすことがある。

というのも、ネットの投票はアテにならないからだ。最近では「一人一日一回しか投票できない」などの対策は取っているものの、あまりにも熱狂的ファンや、特定思想を持つ者がＩＤを大量に作って何度も投票するため、ロクな結果にならないのだ。

この点については私も長年指摘してきたが、今もあまり変わっていない。むしろ「こんな投票やってるぜ！」と同じ思想を持った者同士で情報を流通し合い、見せかけ上の数字を高くする動きはより活発化している。

伝説の「田代祭」「川崎祭」

初期のネットのアホ投票の2大巨頭は２００１年の米『ＴＩＭＥ』誌が行った「ＰＥＲＳＯＮ ＯＦ ＴＨＥ ＹＥＡＲ」における「田代祭」がその一つだ。タレントの田代まさしが投票時期に風呂場覗きで逮捕され、覚醒剤所持・使用により再逮捕された。２ちゃんねるを中心とした日本のネットユーザーが同賞を田代に獲得させようと公式サイトでの投票を続け、後に「田代砲」とも呼ばれるようになる自動投票スクリプトを開発する者まで登場し、一時期田代が首位に立ったのだ。

その後、海外のバカたちも同様にどうでもいい人間や架空の人物を投票し上位に来たとところから、『ＴＩＭＥ』誌は不正があったとしてこの投票をやめ、結果は米同時多発テロで陣頭指揮を執ったルドルフ・ジュリアーニ元ニューヨーク市長が選ばれた。

２つ目は「川崎祭」である。２０００年のプロ野球シーズンオフにヤクルトからＦＡ宣言した川崎憲次郎投手は中日に移籍したが、２００１、２００２年シーズンはケガのため出場はゼロ。２００３年シーズンになっても出場しない状況が続き、晒（さら）し者にするためか「川崎憲次郎をオールスターファン投票1位にしよう」というスレッドが２ちゃんねるに立ち上がり、結果1位になった。川崎は当然辞退した。

このツートップがありつつも、個人的に味わい深いのが、「クラリオンガールネット投票」である。アグネス・ラム、原千晶、蓮舫氏などを輩出した１９７５年から２００６年まで続いた伝統あるコンテストだ。

２００３年前後だと思うのだが、一緒に雑誌『テレビブロス』の仕事をしていた女性ライターが「これ、無茶苦茶面白いよ！」とＰＣの画面を見せてくれた。そこには多数の女性が並んでおり、投票された数字が表示されている。美女輩出の名門コンテスト「クラリオンガール」のネット投票だ。

クラリオンガールの投票事務局は、ネット投票を開始した。この頃は「ネットで投票します」と宣言すれば「すげー！　来てるね、未来！（ラーメンズのコント風）」となったものである。主催のクラリオン社としては、ネットユーザーの善意を信じたのだろう。だが、この女性ライターがゲラゲラと笑っていた理由は票数の多い人々を見たらすぐに分かった。

率直な言葉で述べるのだが、軒並み票数が多かったのは「デブ」「ブス」「女装している男」だったのである。もういちいち「ポリコレ的に問題」だの「差別」だの言って欲しくないのだが、明らかにそうなのだ。この女性ライターにしても、この3種類の候補者への投票数が軒並多いことを面白がっているわけで、女性の視点からしてもこの投票は異常だった。

私も2021年の今、「デブ」「ブス」「女装している男」なんて言葉は書きたくはなかったのだが、約20年前の当時はこの投票をめぐりネットでは散々嘲笑コメントは書かれていたわけで、あくまでも「時代性」ってヤツを報告していると思っていただきたい。

クラリオンが投票をネットにしたということは、「先端イメージ」を作りたかったことは容易に想像できるが、彼らはネットユーザーがいかにバカで暇かを分かっていなかったのだろう。ネットなんてものは、「遊び場」になればいいのである。だからこそ、2ちゃんねるで「クラリオンガールがこんな投票やってるぜ（笑）」「よーし、荒らしてやるか。ブスを1位にしてやろうぜ」といった動きがあったのだと思われる。このネット投票は最終的な判断にはつながらない、という予防線を張っていたため、結果的にこの3種類の属性の人物が受賞はしなかったが、もしも予防線がなかったら……。

実に面白い展開になっていたではないか！

何しろ当時のネットに書き込まれるものの多くはネットリテラシーが高い2ちゃんねらーによるものが多かったわけで、こうした「おもちゃ」を見つける能力は実に高かった。だからこそ「田代祭」「川崎祭」を（運営側の〝大人の判断で覆す〟ところまでは）完遂できたわけだし、クラリオンガールについても一斉に謎の一体感を発揮して特定の誰かを勝たせる直前まで持っていくことはできた。

私自身、2009年に自著『ウェブはバカと暇人のもの』（光文社新書）で、「ネットの民主主義や善意には期待するな」と述べたが、この3つの祭りを見てそのセオリーの端緒は分かったのかもしれない。

ネット投票は基本眉唾モノ

その後も、ネットでは「コイル祭」が発生。ポケモンキャラの人気投票を行い、得票数の多かったTOP3のキャラを壁紙としてプレゼントする、という内容だったのだが、どう考えても不人気キャラの「コイル」を1位にしようとする運動である。

この時は「Yahooきっずのポケモン投票でコイル一位にして消防ども泣かそうぜ」というスレッドが2ちゃんねるに立ち上がり、コイルに投票することにより「消防（小学生）」を泣かせようと呼びかけられ、多くの人がコイルに投票し、暫定1位となった。運営側は途中から得票数を表示させない措置を取り、結果的にコイルは2位に。

この結果には多くの疑惑をもたらしたが、暇人が運営側と子どもたちをコケにしようと考えた大規模ムーブメントだったと言えよう。あとは、アニメ『イナズマイレブン』に関する同様の投票では、「イナズマイレブンのキャラ人気投票で五条1位にして子供と腐女子泣かそうぜwww」が立ち上がり、明らかに悪役の「五条勝」を1位にする動きも開始。提供される壁紙を五条にしたら「子供と腐女子」が泣く（※厳密に泣くわけではなく悲しんだりムカついたりすること）状況を作りたかったわけだ。

あとは２０１１年の「イケメンドミノ25コンテスト」もあった。これは、ドミノ・ピザ日本法人の25周年を記念し、ドミノの配達員とされる男性25人の誰から配達してもらいたいか、を投票してもらうもの。

№15の太った男性が当初圧倒的1位になっていたが、これも前出・クラリオンガールと同じ状況だったであろう。その後、№11のイケメンが突如として票を集める結果となり、不正投票疑惑が取りざたされた。同社はこれを否定したものの、その後「投票システムの不備」により、この投票を終了した。

ドミノのイケメンコンテストの不可思議な流れについては本当のことは分からない。実際にこの騒動は多数記事化されたため、№15を候補者に入れたことと不自然な№11の躍進はＰＲ的には〝おいしい〟状態だったかもしれない。

ドミノについては「インコ割り」（インコを飼っていると割引）など、「いかにもネットの皆さん好きですよね～」的な企画を次々と繰り出しているだけに、ネットに慣れた人物が宣伝部にいるのだろう。まぁ、ほどほどに炎上しない感じで企画を立ててほしいものである。

ここで述べたいのは、正直ネットの投票企画というものは基本眉唾モノである、ということだ。こうした投票企画をする側は、結果はどうでもいいと考えている。偏った結果になればなるほど「おいしい」と思うし、「田代祭」「コイル祭」などを振り返っても、どうしようもないヤツがトップになればなるほどアクセス稼ぎはできるし注目度は上がる。

あと、ツイッターには投票機能がついている。4択まで選べるのだが、大抵はフォロワーの嗜好に従って得票数が上がる。2021年9月、自民党総裁選では、河野太郎氏、岸田文雄氏、高市早苗氏、野田聖子氏が出馬したが、さっそく各候補の支持者は誰が総裁にふさわしいか、ツイッター投票を立ち上げた。すると、そのアンケートを立ち上げた人物の推す候補者が1位になるのである。その結果にアンケート立ち上げ者は満足げとなる。そりゃ当たり前だ。あなたの支持者が投票に参加するのだから、あなたが支持する候補者が勝つに決まっているではないか。

ネットの調査の精度が上がった——といった意見はあるものの、まだ2021年11月段階で私はあまり信用していない。

「#ねえねえ尾身さん」信者たち

こうして圧倒的「信者」とも言える存在が、とある神輿をかついで絶賛キャーキャーコメントを寄せるのはネットの定番であることはよく分かっただろう。

2020年1月ごろから始まったコロナ騒動において、大いに存在感を示し、多数のファンを獲得したのは政府分科会の尾身茂会長である。同氏は「過去に西太平洋地域でポリオを根絶した伝説の偉人」という扱いになっている。神格化っぷりはハンパなく、ツイッターユーザーのマクラナ・ガレ氏は、2021年9月20日、こうツイートした。

〈尾身茂という人は、ポリオを根絶するなど感染症分野では間違いなく偉人クラスの人物で、山で言えばエベレストなのかはわかんないけどヒマラヤクラスの巨人なわけで。

そういう人の話をデタラメだと断じるのは、よほど経験豊富な登山家か、ものすごいド素人のどっちかなんだけど、我が国の場合は〉

しかし、これに対しては、『科学者に委ねてはいけないこと』（共著・岩波書店）などの著書がある井田真人氏が反論ツイートを連投し、「尾身茂はポリオを根絶した偉人、というデマ」というまとめを作った。そのうち2つは以下の内容だ。

〈尾身茂氏はあくまでポリオ根絶活動に途中から参加した人であって、西太平洋地域でポリオが根絶されるタイミングにちょうどＷＨＯにいた人に過ぎない。ポリオ根絶の長い歴史の中で見れば重要人物ではなく、実際、世界のポリオ学者の中で存在感は薄い〉

〈日本のポリオ研究の本当の第一人者は、元東京大学教授の故 野本明男さんなど。尾身茂氏とは格がまったく違う〉

井田氏に対して突っかかるコメントも書き込まれ、井田氏はこれらにも丁寧に答えていた。それだけ尾身氏のことを偉大なる人物だと思う人が世の中には多いのである。

尾身氏は菅義偉前総理との会見でも隣に立ち、記者会見で記者の質問に答えていた。おどおどとペーパーを読む菅氏と比べて、長身でビシッと背筋を伸ばした様子で会見をするその姿には多くの人がネットで「尾身総理」などと書いた。「尾身氏を1万円札の肖像にすべき」といった意見さえ出た。私は尾身氏については過去の実績はさておき（井田氏に明確に否定されているが）、新型コロナについては、「人流が悪い」「酒が悪い」「リバウンドが来る」「今は我慢を」といった科学的根拠が不明な根性論ばかり言う人物で、こんな人物が日本人の行動の舵取りをしていることについては大問題だと思っていた。

結局同氏が必要性を訴え続けた緊急事態宣言とまん延防止等重点措置（まん防）にしても、２０２１年については、東京では１月１日から９月30日までの２７３日中、２４５日に発出されていたのである。もはや「平常事態宣言」を出す方がよっぽど特別感があったように思えてならなかった。そして東京の確定日別による陽性者数は東京都の感染症対策ＨＰによるとピーク時の８月17日は６０４６人だったが、９月20日には１９７人にまで激減。一部専門家は「不自然」などと言った。要は自身の「人流が悪い」という仮説が覆されたから混乱しているのである。そして「人流が戻った２週間後に感染爆発する」という説があるが、その後減り続けて10月25日時点の東京の陽性者数は17人である。

感染症というものは、「人流抑制」で抑えられるものではないことはもう２０２０年１月以降、１年半以上かけて明らかになったではないか。世界中で同様の陽性者数のカーブを描き、ピークを打ったら勝手に落ち、そしてしばらく経つと再び増える。どれだけ欧米各国がロックダウンをしても結局は陽性者数は増えた。ニュージーランドもゼロコロナは諦めた。ワクチンが決め手、とされたものの、ワクチンをいくら打とうとも陽性者は増えた。ただし、高齢者の死亡や重症化はある程度避けられた。イスラエルは3回目の「ブースター接種」を行い、日本もその流れに追随。イスラエルは4回目も今後打っていくという。

元々尾身氏はワクチンを2回打つ必要性を述べたかと思えば、9月に入ると3回目を打つべきだと提言。発言がブレるのである。2021年3月5日の参議院予算委員会では「今年の冬からさらに1年ほどがたてば、このウイルスに対する不安感や恐怖心が、段々と季節性インフルエンザのような形になっていくと考えている。多くの人がインフルエンザと同じような気持ちを持った時が、いわば〝終息〟のような感じになるのではないか」と述べた。

つまり、「コロナは〝お気持ち〟」ということを述べたわけだが、その後も同氏は人流抑制と行動自粛にこだわり続けた。

日々テレビに出て喋るほか、政府が作るワクチン啓発CMにも登場し、テレビだけでなく、駅や街頭ビジョンのCMにも登場し、人々にワクチン接種を呼び掛けた。同氏に関しては、完全に高齢者タレントの中では好感度№1といった状態になったのだ。

8月30日、尾身氏は若い層にもメッセージを伝えたり、一般の人の意見も知りたいとし、インスタグラムを開始。マスクを着用し、白いTシャツには「#ねえねえ尾身さん」のハッシュタグが書かれ、このタグを使ってコロナ等に関する投稿をするよう促した。絶賛する声は多数だったものの、アンチも多数書き込みを行った。

もはやオーミ真理教

大体の場合、政治家や政党が好感度を上げるべくハッシュタグを使うことを呼びかけるとアンチが紛れ込むもの。この時も尾身氏に批判的な人々が罵詈雑言(ばりぞうごん)を書きまくり、辞任を求めた。

元々「#尾身茂分科会会長の辞任を要求します」的ハッシュタグで同氏への異議は多数ネットに書き込まれていたため、インスタグラムは直接同氏に文句を言える場所が誕生したと捉えられたのだ。この流れは、「ＡＥＲＡ．ｄｏｔ」が報じた「【独自】コロナ病床30~50％に空き、尾身茂氏が理事長の公的病院　１３２億円の補助金『ぼったくり』」という記事も影響している。コロナ対応の病院であれば、補助金がもらえるものの、同氏が理事長を務める地域医療機能推進機構（ＪＣＨＯ）傘下の東京都内の５つの公的病院で30～50％の病床が使われていなかったというのだ。「補助金詐欺」などとして、同氏への不満が噴出。同氏のインスタのコメント欄は「１３２億円の件はどうしましたか？」といった書き込みが多かった。

そうした経緯はあったものの、同氏の人気は収まらない。９月18日、同氏はインスタライブを行った。この段階でフォロワーは約78万人にまで増えていた。好きな食べ物がカレーライスであることを明かすなどした。補助金の件については言及したものの、ＪＣＨＯの説明を長々としたうえで、コロナ患者を受け入れるには、入院中の患者を別の病院に受け入れてもらうことが必要だったり、看護師の確保が大変だったことなどを述べた。そして、最近は頑張って受け入れをしている、といった話をし、補助金については今後適切に対応する、と述べたが、言い訳に終始した印象だ。いや補助金の趣旨とは異なる使い方をしているのが問題なのである。インスタのコメント欄にはアンチからの辛辣（しんらつ）なコメントは多数だったが、それ以上に尾身氏への感謝を示したり、親愛の情を示すものが多かった。

この後の同氏へのコメントがすごい。完全に信者風なのである。こんなツイートが並んだ。

〈尾身先生、とてもジェントルマンで、世界に誇れる知能で、剣道四段で、インスタ始めるのに「ねえねえ尾身さん」ってTシャツを少ーしだけ恥ずかしそうに着てて。なんか最強のおじさまキャラなんじゃないかって思う〉

〈心から尊敬いたします。尾身先生は、世界の公衆衛生に多大なる貢献をし、実績を残してみえます。WHOでのご活躍と成果は日本が誇りを持って讃えるポリオ撲滅宣言でした。感謝申し上げます。ありがとうございます〉

〈尾身先生のインスタのコメント欄が荒れている。響いて欲しい層にリーチできているのかもしれないが自分なら耐えられない。Abemaに出演されてた時も思ったが、どうすればあの菩薩のような境地に達することができるのだろうか。自分なら3回生まれ変わっても無理。尾身先生を心の底から尊敬する〉

このような状態に2021年9月の日本はなっていた。果たして尾身氏はどんな実績をコロナ騒動で作ったのだろうか？　日本と比べて被害者のケタの数が違う欧米が2021年の夏には満席でノーマスクでスポーツイベントに熱狂している中、尾身氏の慎重姿勢もあり、東京五輪は無観客になった。

五輪が終わり、ますます欧米は自由度合いを高めたのに日本は相変わらず緊急事態宣言が続き、マスク生活が続く。県をまたぐ移動もためらわれる中、尾身氏はインスタを含めたネットで絶賛キャーキャーコメントを浴び、スター気取り。

正直、私としては「こんな無能によく日本国民は付き合ってられる」と思うが、前出の通り、同氏はもはや教祖様のような扱いだ。ネットでは「オーミ真理教」という呼び名さえ登場した。しかし、罵詈雑言に心を痛めたか、自身の補助金問題から逃れるためか、インスタ更新は止まった。

「まんだらけ」の犯人晒し

ネットはアンチとファンの苛烈な戦いが発生する場所ではあるが、時に圧倒的「正義」として支持される例もある。ここでは、とにかく炎上の余地もなく、異論を述べた方が明らかに分が悪かった騒動と、ネットがもたらしたポジティブな側面を紹介する。

2014年8月、東京・中野の中古アニメグッズ等を販売する「まんだらけ」で万引き事件が発生。この件が話題になったのは、同店が防犯カメラの犯人とされる男の映像をネットで公開したことにある。

この男が盗んだものは、25万円する鉄人28号のブリキ人形で、マニアの間では非常に貴重なものとして知られている。この件については、同店が、公式HPで「盗んだ犯人へ一週間以内（12日）に返しに来ない場合は顔写真のモザイクをはずして公開します」と、男の写真を公開したことに端を発する。

この際は、「よくやった！」といった声は多かったものの「やり過ぎ」といった批判も散見された。結果的に、一週間後に50歳のアルバイトの男が窃盗容疑で逮捕された。この男はどうやらネットで6万4000円で転売したようだ。身分証明書などからこの男の足がついた。

この件については、本当にネットがあって「まんだらけ」は功を奏したといったところだろう。25万円ものブリキ人形を盗まれ、泣き寝入りしていたのがネット時代以前だが、今や誰もが被害を受けた場合はそれを公にすることができる。

ただ、この件が若干の反感を買ったのは、「一週間以内に返さないとモザイクを外して公開する」という声明が「脅し」と取られた点だ。貴重な品を盗まれた（〝万引き〟という甘い言葉で許してはいけない）店からすれば、犯罪者に対してこれくらいやるのは当然、といった感覚だっただろうが、なぜか反発の声があがった。

それは、「万引き」という言葉の軽さにしてはペナルティが重いと判断したのか、ないしは自分もこのようなことをやろうと思ったことがあるかのどちらかであろう。

この「晒し文化」というものは、その後も様々な発展を遂げた。コロナ騒動においては、マスクをしないで外を歩く人間を撮影し、ツイッターに公開する者が登場した。これについては完全に肖像権の侵害である。

まんだらけの犯罪者とは別次元の話ではあるものの、実際、この公開者のことをモラルのある人格者、といった扱いをするツイッターユーザーも案外多かったのである。まんだらけの件で言えば、「お客様は神様です」的風潮をネット炎上がぶっ壊してくれる可能性があることも示した。これは、被害に遭った店の強硬措置と捉えられるが、「美談」と捉えられた別のケースもある。多くのスーパーでは、客の声を店内に掲示するものがあり、これに対して、店が答え、より良い店にするという取り組みをしている。

クレームへの毅然とした反論

　とあるスーパーに寄せられた問い合わせが実に差別的だったのだが、これに対する店側の回答が絶賛されたのである。２０１７年5月、この差別的意見とそれに対する店側の答えが書かれた紙を従業員がツイッターに投稿し、〈この会社で働いててよかった〉とツイートしたのだ。客の意見は以下の通り。

〈昨日来たときに気持ち悪いものを見ました。昨日、お店に来たときに1階の駐車場で、車の中から手をつないで出てきた男の人たちがいました。同性愛者というやつなのでしょうか？　最近はどんどん増えてきているといいますが、やっぱり見ていて気持ちが悪いです。お店としては、そういう人たちを入店できないような対策を取ろうとは思いませんか？　そういう人たちは家とかでこそこそ会ってればいいのに…と思います。対策とかしてくれないなら二度と来ません。そういうお店ってこともインターネットに流します（一部略）〉

　これに対し、このスーパーの本部の「個性輝く生き方推進室長」はこう答えた。

〈結論から申し上げます。もう来ないでください。当社では、同性愛者の方も異性愛者の方も関係なく、皆さま同じお客さまとして接しております。お客さまは神様だという認識も誰一人として持っておりません。皆さま大事なお客さまです。お客さまを侮辱する方を、当社はお客さまとしてお迎えすることができません。ですので、二度と来店なさらないでください。

また、当社ではLGBTの方々が多く働いておりますが、気持ち悪い、辞めさせろといった意見は一切出ておりません。あなたさまの考え方や感じ方を否定するつもりはございませんが、LGBTの方々の生き方を真っ向から踏みにじるような言動はおやめください。それだけをお願い申し上げます〉

店にとってはこうした反論ができるツールとしてのインターネットは実に有用である。この意見に対してはグウの音も出ないだろう。これはさすがに炎上のしようがない。案外ネットには正義も存在するのである。

「マスゴミ」はなぜ忌み嫌われるか

小売店や警察官、農家などそこまで儲かっていなさそうで体を使って働く人々はネットではあまり炎上しない。だが、「なんだかチャラチャラしてて、芸能人と遊んで楽しそうで給料が高そう」といったイメージから叩かれるのがメディア界隈の人々である。彼らは「マスゴミ」と呼ばれ、忌み嫌われる。それこそ、災害報道の際にヘリコプターを出せば、「お前らのヘリのプロペラ音で助けを求める人の声が聞こえないだろ！」などと叩かれるもの。

自分の思想と異なる報道をされると「偏向報道」や「報道しない自由をマスゴミは駆使している」などと言われる。こうした件については、新型コロナ騒動でも発生した。

2020年2月、コロナ騒動の初期の頃、日本テレビの社員2名と同社に常駐する制作会社社員が新型コロナウイルスに感染したことが明らかになったが、ネットではこの件について「ざまあみろ」的な書き込みもみられた。その後も日テレだけでなく、テレビ朝日や朝日新聞等も多くのコロナ陽性者を出した。テレビ朝日の場合は、『羽鳥慎一モーニングショー』で、散々コロナの感染拡大に同社社員コメンテーターの玉川徹氏らが警鐘を鳴らし、東京五輪開催に反対し、飲食店への出入りを糾弾していた。だが、まさかの同局の五輪担当チームがハメを外して朝までカラオケをし、あまつさえ女性社員がカラオケ店の2階から落ちて病院送りになる騒動を起こした。さらに、夏の甲子園大会の番組スタッフが大阪市では時短営業で20時での営業終了が通達されていたというのに、23時まで4時間の焼肉会食をしていたことが明らかになった。

だからこそ、この時の「マスゴミめ！」的怒りはネットでは激しかったが、コロナ騒動初期にあたる日テレの2月の件について、5ちゃんねるにはこんな書き込みがあった。

「さんざん叩いた封じ込めの見本を見せてもらおう」（※クルーズ船ダイヤモンド・プリンセス号における日本政府の対応を指す）

「これは朗報　マスゴミ関係者を全員隔離施設に放り込めばいい」

「自宅待機の家に押しかけて『今どんな気持ちですかぁ？』『一言お願いします！』やれよ」

「実名で役職も報道してくれるんでしょ　自宅や実家や病院や職場に、取材していいよね　玄関ピンポン鳴らして取材していいよね」

一般にネットが普及してから約25年が経過したが、「マスゴミ」叩きの25年とも言える。マスコミは偏向報道をし、強い者を守り弱者をいじめる卑劣な存在で、人の日常に不躾（ぶしつけ）に入ってくることを厭（いと）わない。しかもテレビの場合は枕営業で女性芸能人の仕事が決まっていき、人身売買がまかり通っている——。こんなイメージがあり、さらには旧来型のマスコミがネット及びネットユーザーを見下し続けてきた、といった感覚も抱いている。

だからこそ、ネットが好きな人々はマスコミを敵視してきたし、彼らにネットにズカズカと土足で入ってほしいとは思っていない。いちいちネット上の話題をテレビで紹介して欲しくもないし、ネット特有の用語をマスコミが使ったりすると反発を覚えるもの。最近でこそネットはメディアの王者になりつつあるが、オールドメディアからは見下され続けた歴史がある。

SMAPいじめと擁護

私自身も2006年にネットニュースの編集者の仕事を開始したが、当時の紙メディアと電波メディアの人からは「えっ？　ネットなんかでニュースの編集してるの？　新しいことやっていらっしゃいますね（笑）」みたいな扱われ方をされてきた。ところが2010年以後、「活路はネットにあり！」とばかりにオールドメディアはこぞってネットに参入してきたため、時代は変わったものだとつくづく感じる。

こうした歴史的経緯も踏まえて、マスコミがなぜ「マスゴミ」と呼ばれているのかを改めて考えてみたいのだが、人々の実体験も含め、様々な嫌われ要素が存在する。まず、自分が好きなものをけなしたりすることが多いというのがあるだろう。古い話になるが、某夕刊紙は逆張りをすることで知られている。例えば野茂英雄がＭＬＢに挑戦する時は「成功するわけがない」的な論調で叩いた。ところが野茂が大活躍するとその批判は「なかったことに」された。イチローが挑戦する時も「投手は通用するけど野手は通用しない」といった報道をした。野茂ファン、イチローファンからすればたまったものではない。怒りは湧くだろう。

これは２０１６年のＳＭＡＰ解散報道の時にも見られた。スポーツ紙をはじめとした多くのメディアは、ジャニーズ事務所の側につき「キムタク以外全員退所！」などと、木村拓哉以外の４人が恩義ある事務所に対してワガママをしている、といった論調で書いた。一方、ジャニーズ事務所から出入り禁止を食らっている某誌は「いつまでＳＭＡＰいじめは続くか」といった論調で書いた。

木村以外の４人を悪者にするような論調が多いことにＳＭＡＰファンは傷ついた。そして、解散を阻止すべくファンそれぞれの思いを新聞の個人広告欄に出すなどした。この時使われたのが東京新聞をはじめとした地方紙だ。これにより、東京新聞は「私たちに寄り添ってくれる新聞」といった評価を得ることになる。これはファンからすれば「マスゴミ」ではなく「まっとうな報道機関」といった扱いになる。朝日新聞も読者からのＳＭＡＰを擁護するような投稿を掲載し、同様の評価を得た。

別になくても困らない仕事

影響力のあるメディアが「自分にとって不快な報道をする」というのが「マスゴミ」扱いの理由の一つだが、他にも多数ある。列挙しよう。いずれもネット上での批判であり、一部思い込みやマスコミの真意が伝わっていない部分もあるが、とにかく辟易されている事柄である。

●被害者やその家族に容赦なく突撃し、取材をする
↓いわゆる「メディアスクラム」だが、「被害者の気持ちを考えろ」と批判される
●災害時などにヘリコプターで爆音を鳴らし、救助の邪魔をする

↓メディアは必要だと思いやっているものの、自衛隊をはじめとした救助隊より必要性は低いと解釈されている（当然そうだが）

●「知る権利」「報道の自由」を盾に被害者の実名報道をする

↓被害者本人や遺族感情を考慮していないと解釈される

●都合の良い時だけは「報道しない自由」を行使する

↓政治系の話題で多いのだが、「もっと多く報道すべきだろう」というものの報道量が少ないとこの言葉が登場し、何らかの忖度が働いていると推測される

●芸能人の熱愛やすでに引退した芸能人の「いま」の写真を報じる

↓「そっとしておいてやれ」と必ず書かれる

●身内に甘い

↓メディア業界人の不祥事で実名報道がされなかった場合こうした反応になる（ただし、報道については、共同通信のガイドラインが存在し、それに従っているという側面もある）

●給料が高くてチャラチャラしているというイメージがある

↓チャラチャラはどうだかは分からないが、給料の高さについては大手の正社員に限る

ことではあるが……。あとは大手テレビ局のプロデューサーが「枕営業」を受けているといったイメージもある

●別になくても困らない仕事なのにエラソーにしている

↓電気、水道、ガス、公共交通機関、農家、スーパーなど人々の生活に「本当に必要な仕事」ではないのに、どこか特権階級に属しているように見られている

●テレビのロケの時、急いでいるのに通行を妨げられ、突破しようとすると怒られる

↓「影響力あるテレビ様には協力するもの」という態度をしていると捉えられる

●やらせを時々する

↓朝日新聞の「サンゴ事件」や『発掘！ あるある大事典Ⅱ』（フジテレビ系列）の「納豆でやせる」等が代表的

●思想的に偏っていると反対派からは捉えられる

↓前出の「ファンを傷つける」に似ているが、新聞で言えば朝日・毎日・東京vs産経といったところか。だからこそ思想的に〝どちらかに優しくどちらかに批判的〟なメディアをソースとする5ちゃんねるのスレッドには【朝日】【産経】【ゲンダイ】【リテラ】

などと注釈がつき、「これのソースはこのメディアだからそのつもりで開けよ」といったバイアスを事前にかけてくる

ジャーナリスト・安田純平氏のように、戦場で拘束される人が登場すると「自己責任だ」「税金を払って助けてやる必要はない」と批判されるのも、上記の流れの一つだ。他にも「ゴミ」扱いの理由は色々あるが、多くは「自分がやられたらイヤなことを平気でする血も涙もない連中」や「自分たちを特権階級だと思っている」といったところにあるだろう。

そういった意味があったため、2004年に発生した「佐世保小6女児同級生殺害事件」での被害女児の父親は称賛された。父親はネットでは保守派から叩かれがちな毎日新聞の佐世保支局長だったが、事件発生の当日被害者遺族による前代未聞の会見を開いた。理由は「新聞記者である以上、書かなければいけない」という先輩の言葉をこれまで守っていたから。それだけに、自分が被害者遺族の立場に立ったとしても、他の記者は自分の話を聞きたいだろうと思ったことだ。また、自分自身も辛い状況にいる人々の取材をした経験もあり、「ダブルスタンダードはいけない」と考えたのだろう。同氏の部下が同氏への取

材も含めて執筆した『謝るなら、いつでもおいで』（川名壮志・集英社）にはその逡巡が描かれている。

「はい、嘘松。単なる創作」


あと、ライターも叩かれがちだ。渾身の戦場リポートや面白い実験系の記事、ほっこりエピソード等を除くと大抵はこう書かれる。

「こんな文章でよくライターやってられるな。オレの方が文章はうまい」

弱者に寄り添う形になっているはずの「貧困女子」や「借金まみれ男」などの取材をしてもこう書かれる。

「はい、嘘松。単なる創作」

「嘘松」とは「アニメ『おそ松さん』に登場するキャラと似た人に会った」とツイッターに書かれた件が語源である。反響を得たいがために創作話をネットに書き込む「嘘つき」の意味である。我々に対して「嘘松」と言いたくなる気持ちは分かる。モノカキという仕事はなんとなくラクな仕事に感じてしまうのだ。自分だって小学校時代から作文を書いたりしていたし、レポートや卒論に加え、日々の仕事でも文章は書いている。仕事で文章を書いたら給料は支払われるかもしれないが、それは文章そのものに対して支払われるわけではなく、仕事全体にカネが支払われている。しかも、別に自分が進んで書きたい文章ではなく、上司から書くよう押し付けられた文章である。

そんな中、「チラシの裏に書いておけ」「ブログでやっておけ」的な文章をウェブメディアで見た場合は「こいつはこの程度でカネを稼ぎやがって」といった感情になってしまうのだろう。文章も「表現」の一種ではあるが、イラスト、漫画、音楽のように天賦の才が必要なものとは別で「どんなバカにでも書けるもの」といった捉え方をされる。「オレの方が優れている」と感じてしまうのだ。

だからこそ、我々のようなウェブメディアに従事する者はそうした厳しい声を真摯に受け止め、より役に立つ情報を出し続けなくてはならないのである。

メディアの側も「マスゴミ」批判は十分に理解している。それもあり、活字メディアも電波メディアも常時ツイッターのリアルタイム検索やハッシュタグを用いて書かれる反応を気にしている。そして、これが記事・特集・番組の論調に大いなる影響を与える。

私は「ＡＢＥＭＡ　Ｐｒｉｍｅ」というネットＴＶの報道番組のレギュラー・コメンテーターだが、常にアナウンサーや出演者はツイッターに書かれる反応を見ながらそれに対応し、そのコメントを紹介する状態だ。これがかつてインターネット黎明期に喧伝された「双方向」なのだが、これを重視し過ぎると、プロが素人に萎縮する結果になるのでは、とも思う。とにかくインターネットに書かれる言葉の一つ一つは、社会を動かすのである。

第二章
炎上の主役のスターバカ軍団

2014年はすさまじい「当たり年」

炎上の歴史を語る上で避けて通れないのが2014年である。炎上そのものはネットにおいてこの頃完全に定番となっていたものの、この年は毎月のように「炎上界のスター」が登場するすさまじいエポックメイキングな年になった。

この年は毎月の代表的炎上者を紹介する「炎上カレンダー」が作られた。様々な種類はあるものの、その内の一つの1～12月の人物を紹介する。一体誰だか分からない人物もいるだろうが、「キセキの世代2014」で検索するとそのカレンダーを見ることができる。「ニコニコ大百科」にはこれについてこう説明されている。

〈キセキの世代2014とは、2014年に怒涛の如く現れた問題児達の呼び方の一つである。2014年、様々な問題児達が現れた。6月の時点で「まだ半年なのにもうこんなにもいるのかよ」と言われるほど多く、その後も増え続け、あまりの多さに毎月カレンダーが作られ、挙句の果てにその問題児達を指して黒子のバスケの「キセキの世代」と掛けた「キセキの世代2014」と呼ばれるようになった。他にも「ダメンジャーズ」などの

呼び方もある。〉

サイトによってカレンダーに登場する人物は異なるが、「まいぷろ」というサイトでは、以下の人物が選ばれた。以下、同サイトからの引用。↓以降は筆者の補足

1月　阿部利樹（マラチオン混入。海軍大将）↓食品工場勤務、製造ラインで農薬を冷凍食品に入れた。金髪ヘルメット姿と逮捕後の薄毛のギャップで話題に

2月　佐村河内守（全聾（嘘）作曲家（嘘））／（新垣隆）

3月　竹井聖寿（連続通り魔事件。ヤフーチャット万歳）↓逮捕時に何やら叫んでいたが、その際「ヤフーチャット万歳！」と言っていたと解釈された

4月　小保方晴子（STAP細胞はありまぁす）

5月　片山祐輔（2013年からの継続だが5月にボロを出し罪が確定）↓「パソコン遠隔操作事件」で逮捕。ネコが好きなことから「ゆうちゃん」と一部で人気があった

6月　ASKA（CHAGE and ASKAの一人。以前から薬物使用疑惑があったが2014年に覚せい剤所持で逮捕）

7月　野々村竜太郎（号泣謝罪会見）

8月　橋本聖子（日本スケート連盟会長、高橋大輔選手にキス）

9月　冨田尚弥（競泳男子日本代表、カメラ窃盗）→本人は無罪を主張

10月　矢口真里（ミヤネ屋で活動復帰）→夫の不在中、間男と不倫をしていたが、夫が帰ってきて間男はクローゼットに隠れる。その後矢口は芸能活動自粛。離婚しその間男と再婚

11月　筧千佐子（京都連続青酸カリ夫殺害事件）

12月　田中勝彦（危険ドラッグ。しぇしぇしぇしぇ）→芸人の「永野」風の髪型で、パトカーで護送される際に満面の笑みを浮かべ、ピースサインを出す。ニュースのテロップでは「『しぇしぇしぇしぇ』など意味不明の発言」が出て一躍人気者に

この中でも特に大きなインパクトをもたらしたのが佐村河内守氏、小保方晴子氏、そして野々村竜太郎氏だ。小保方氏については「ＳＴＡＰ細胞はありまぁす」がこの年の「ネット流行語大賞」を獲得。政務活動費の不正受給で辞任した元兵庫県議の野々村竜太郎氏

については「号泣会見」の文字起こしも話題となった。これは「ネット流行語大賞」の銀賞（2位）を獲得した。

「ンァッ！　ハッハッハッハー！　この日本ンフンフンッハアアアアアアアアァン！　アゥッアゥオゥウアアアアアアアアアアアアアーゥアン！　コノヒホンァゥァゥ……アー！　世の中を……ウッ……ガエダイ！」

このカレンダーには出ていないが、「地震なんかないよ！」で知られる東森美和というタレント・モデルもこの「キセキの世代２０１４」に含まれる。5月5日の早朝、東京で震度4の地震が観測された際、ＮＨＫが東京・表参道の交差点で中継をしたところ、その直前まで酒を飲んでいた東森が「地震なんかないよ！」とカメラに向かって言い放ち、指をさしたのだ。これがこの時ネットでは「放送事故」と話題になり、後に東森はスーツを着て謝罪を動画で配信した。現在は起業をし、「食品・飲食・アパレル・イベント・プロデュース・リーシング事業など様々なビジネスを展開」と公式サイトでは説明されている。銀座で会員制バーも経営している。奇しくもネット上で話題化されたことと、特に害悪がないにもかかわらず謝罪したことで好感度が上がった稀有な例と言えよう。

テレビ発ネット有名人の登場

かくしてテレビを契機としてネット炎上が発生し、ネットニュース掲載を経てネット世論が誕生して再びそれがテレビの番組作りに戻って「空気」が作られることが分かっただろう。

この20年、「伝説のネット局地的人気者」といった存在が多数登場した。多くはテレビに映った一般人がネットで注目されるというパターンなのだが、その後テレビのキャプチャー画面が次々と拡散し、ＡＡ（アスキーアート＝文字を組み合わせて作った絵）も登場することとなる。

私がもっとも好きなのが「レベル男」である。２００６年11月11日に発売されたＰＳ３を買うために東京・有楽町のビックカメラ前に並んでいたエスパー伊東似の男性のことである。午前４時、１０００人が商品を買おうと押し寄せ、大混乱の怒号が飛び交う中、この男性が「もう、物売るってレベルじゃねーぞ、オイ！」と怒りを露わに。日本テレビのニュースでは「物売るってレベルじゃねぇぞ！」のテロップがつき、この男性は全国デビュー。以後、「○○ってレベルじゃねぇぞ！」はネット流行語の一つとなった。

テレビの報道や街頭インタビューはこの手のネタの宝庫であり、一体どこの誰がこうした画像を収集し、律儀にネットにばら撒いているのか。それをやっているヤツに話を聞きたいほどである。モチベーションが分からねぇってレベルじゃねーぞ、オイ！

見た目と言動のギャップのある人物も人気者になる。毎度ｉＰｈｏｎｅの新作が出るたびにショップに並ぶ「ビッグウェーブ男」がその筆頭だろう。サングラス、モヒカン刈り、刺青という『北斗の拳』か『マッドマックス』に出てきそうな見た目なのだが、「乗るしかないですね、このビッグウェーブに」という名言を発し、一気にネット上のスターとなった。しかも、ｉＰｈｏｎｅでまず電話をかけた相手は地元・栃木県に住む自身の祖母だという点も「おばあちゃん思いの優しい青年」といった捉えられ方をされた。彼は「ＢＵＴＣＨ」という名前でタレント活動を行っている。

そして、もう一人が奇遇なのだが、この男性も栃木の人物だ。「日本一影が薄い県」に認定されたことから栃木の魅力について街頭インタビューをしたところ、金髪リーゼントの男性が「ないんだな、それが」と満面の笑顔で答えたのだ。しかも彼はかなりのイケメンで、一気にネット民の心をわしづかみにした。「それがないんだな」でなく「ないんだな、それが」と強調する話法は実に説得力があり胸キュンポイントである。

あとは、ニートの人数が63万人に達したというニュースの時に24歳のニート男性が街頭インタビューに対して「働いたら負けかなと思ってる」と発言。坊主頭と笑顔と乱杭歯(らんぐいば)が実に印象的で、「真実を突いている」と評判に。その髪型から「田端信太郎氏似」とも称されたこの男性は即座にAAが作られ、Tシャツまで存在する。そして「働いたら負けかな男」としてネットの伝説になったのだ。

「すげぇ……」とビーチで仰天する少年も話題となった。これは、とある砂浜で「変態仮面」のような恰好をした露出度99%の男性を凝視した少年による一言だ。男性は一応局部は隠しているだけに警察も取り締まることができない、という苦悩も同時に報じられ、妙な味わいのニュースとして評判になった。

北海道の西友の店舗が輸入牛肉を国産と偽って売った件では、レシートなしでの返金を店舗側は決定。そこに集まった人々が見るからに「輩」風な人だらけで、「50パック買った」や「3～4万円分は買った」などと答えているのである。西友は1300万円の返金をする算段だったが、実際に支払った金額は5000万円だったそうだ。

同様の件では、サイゼリヤの399円のピザに有害物質が入っていた件で、レシートなしでの返金を決めた時も発生。「1億万枚食べた」と証言する少年の画像が登場するがこれはコラージュだ。さすがにそんな言葉をテレビは載せない。この手の「テロップでその非常識さを笑う」系のネタについては、テロップがネット民により改竄（かいざん）されている可能性を一応確認した方がいい。

「捜査のプロ」なる人物

様々な事件の犯人が出た際に「捜査のプロ」なる人物がテレビに登場する。その中でネットでネタ化されているのが「元警視庁捜査一課長」の田宮榮一氏（故人・享年85）である。同氏は何らかの不可解事件が起こった際は、テレビに呼ばれてプロファイリングをすることでお茶の間の人気となった。

そんな同氏がネットでの人気を決定的にしたのは、栃木小1女児殺害事件における「20～30代　もしくは40～50代の犯行」とテロップに書かれた事件の分析である。通常10代の犯罪はそこまで多くないし、60代以降もそこまで凶悪事件は起こさない。何も予想していないのと同じようなのだが、テレビは「捜査のプロ」ということでこうした人々の意見を求める。

当然刑事は幅広い可能性を考えて慎重に捜査にあたるわけだが、それを真面目にテレビで言ってしまうと視聴者は「適当だなｗｗｗ」みたいな反応になってしまう。田宮氏は一躍ネットの人気者となり、コラージュも作られるようになった。恐らくコラージュであろう画像には以下のテロップが「20～30代　もしくは40～50代の犯行」に続いて作られた。

「金銭目的で起きた事件の犯人像――犯人は学生または会社員　もしくは主婦を含む無職」

「某学校で起きた事件の犯人像――犯人は男性と言われているが　女性である可能性も否定できない」

「犯行直後に逃亡した犯人の行方――山梨県を含む関東東北中部北陸または近畿中国四国あるいは沖縄北海道もしくは海外に逃亡」

最後の「推理」については「九州」を外している点が奇妙だが、田宮氏については「20～30代　もしくは40～50代の犯行」のインパクトが強すぎた。以後、完全にネットではネタ扱いされてしまったのである。

しかし、同氏が2018年に85歳で亡くなった時は、多くの人々が同氏の愛すべきキャラクターを偲んでいたので「人間の心をやっぱりみんな持っていたんだな」とホッとしたのだった。

迷惑系YouTuberへの進化

2020年、「迷惑系YouTuber」の「へずまりゅう」が世間を騒がせた。愛知県のスーパーで刺身を手に取り、レジに向かう途中で食べる様子を実況したのだ。これで逮捕されたのだが、彼は地元・山口県でコロナ感染を拡大させ、山口県の村岡嗣政知事に「いったい何てことをしてくれるんだ」とまで言わしめた。その後、へずまりゅうは愛知県の警察に身柄を移されたが、隣の独房の男性と警察官2人を感染させる。これにより同警察署の150人が自宅待機になるなど「スーパースプレッダー」や「インフルエンサー」などと呼ばれるようになった。

へずまりゅうは突然著名YouTuberに突撃するなど迷惑行為をしていたが、まぁ、やっていることはバカである。世の中一定のバカがいるからネットウオッチを仕事としている私など、「いつもの日常」としか思えなくなっている。この麻痺した感覚はヤバい。

へずまりゅうは、結果的に刺身の件で懲役1年6ヶ月、執行猶予4年の判決を受けた。しかし、2021年9月、立花孝志氏率いる「NHKと裁判してる党弁護士法72条違反で」から10月の参議院山口補選に出馬することを表明した（落選）。同氏が何かをするとコタツ記事がスポーツ紙の電子版等から発出され、「Yahoo!ニュース」ではランキングの上位に入る。

まさにお騒がせ男だが、「迷惑系YouTuber」の第一人者になったのはたいしたものである。

元祖「バカッター騒動」

そんな存在が2020年〜2021年は世間を騒がせたが、その元祖とも言えるのが「バカッター騒動」であろう。

2013年7月、とある一枚の写真がまさかこの騒動の発端になるとは本人も思わなかったのでは。序章でも述べたその写真とは、若い男性がコンビニのアイスケースの中で寝る写真と以下のツイートである。

〈How much this is a human? もう22になる人が何をしゆがで！〇〇（※実際は実名）！　あえて言おう！　カスであると！〉

最初の英語風のものは文法が無茶苦茶なため、一体なんだか分からないが、「この人間はいくらするのだろうか？」とでも書きたいのか。アイスケースの中で売られている「売り物」と捉えているのかもしれない。これを投稿した人物は、22歳の友人の愚行を面白がってツイッターに投稿したのだろう。

結局この写真には「不潔だ」などと批判が殺到し、高知県某所のコンビニであることが判明。男性はオーナーの息子であることもバレて同店はフランチャイズ契約を解除された。

これが記念すべき「バカッター」第一号とされているが、「バカッター」の名前はつかないまでもバカ画像やバカ動画をネットに投稿する者は昔から存在していた。ただ、「バカッター」ほど良い言葉がないため「テラ豚丼騒動」（吉野家の店員がすき屋の「メガ豚丼」よりも巨大な盛りのまかない豚丼を作り、「テラ豚丼」としてニコニコ動画に投稿した件）などと個別の事件名で呼ぶのが通例だったのである。「バカ」＋「ツイッター」でバカッターとは言い得て妙である。あと、ツイッターは「優秀なバカ発見器」という呼ばれ方もされる。

このアイスケース男の登場以後、続々とバカッターが登場し、日本のバカ人材の層の厚さを示すこととなった。登場したバカをいくつか挙げる。多いのがバイトの若者が職場でバカなことをしている様子である。

・米屋で精米機の中に入るバカ
・ソバ屋で食洗機の中に入るバカ
・ステーキハウスの冷蔵庫に入るバカ
・ハンバーガー店で大量のバンズの上で寝るバカ
・ラーメン屋の厨房でソーセージを咥（くわ）えるバカ

あとは、電車のホームから線路に降りてピースサインで記念撮影をするバカなども登場した。同様の話で言えば、松本伊代と早見優が線路に入って記念撮影をしてブログに投稿して書類送検された件もあった。この2人もバカッターだった！

2013年の夏はバカッターが次々と登場し、退学に追い込まれる者が出るほか、ソバ屋は廃業に追い込まれてしまった。連日のようにバカッターの話題がネットをかけめぐり、挙句の果てにはテレビもこの様子を報じることとなる。

バカッターの世代交代

秋になり新学期が来ると各地の大学や専門学校や高校は学生・生徒に「SNS利用上の注意」を呼びかける事態となった。一体あの夏はなんだったのだろうか……。とんでもなく暑い夏だったことは覚えているのだが、若者が次々と自爆テロのようにバカ画像を投稿し、身元が特定されて「人生ヲワタ」状態になってしまったのだ。そして、彼らの行為については「バイオテロ」ならぬ「バイトテロ」とも呼ばれるようになる。

そして2015年夏にも少しだけバカッターは登場し、2017年夏、再びバカッターは猛威をふるい始めた。恐らく2013年に同世代の人間が次々と処分されたりネットで誹謗中傷に遭う様を見ていた当時の若者（10代後半～20代前半）は、教育を受けてバカッター画像を投稿しないようにするメンタリティができたのだろう。だが、2013年に中高生だった少年少女が4年の時を経てSNSをやるようになり、再びバカッター画像を投稿するようになった。つまり、バカッターの「世代交代」が発生したということである。

学校や職場も「さすがにもうバカッターはしないだろうな」と2014～2016年にかけて感じ、2017年にはSNS教育をキチンとやっていなかったのではないだろうか。コロナ禍ではないが「気のゆるみ」があったのかもしれない。かくして2017年にもバカッターが次々と登場したが、パワーアップしていた。動画が主役になったのだ。

スマホの普及もますます進み、契約プランも大容量になり動画がより手軽に撮影できるようになったことで、さらに投稿も容易になった。そのため、よりバカ度合がハッキリと分かるようになり、楽しんでいる声なども出るためよりインパクトが強くなったのだ。そして2019年に入るとこうしたバカ動画が再び多数登場するようになる。某コンビニチェーンの店員が熱々のおでんを口に入れ、それを外に出したかと思えば売り物のタバコを棚から一斉にガーッと落としたりする動画が炎上。回転寿司屋の店員が一旦ゴミ箱に入れたブリの刺身を俎板の上に戻す動画も波紋を呼んだ（動画自体は前年に撮影されたもの）。某コンビニチェーンの店員については、高校時代の友人を名乗る人物が登場し「こいつは昔からつまらないヤツだった」などと暴露される事態に。

ハイリスクほぼノーリターン

私はこうしたバカ行動が出る度に様々なメディアから「なぜ彼らはこんなことをするのか?」と聞かれた。それには「バカだから」と答えていたのだが、多分それが最大の理由だろう。

そして、恐らく彼らはSNSの仕様をよく分かっていなかったのではないだろうか。自分の友人しか見られないものだと思い、LINEのグループ機能のようなものだと考えていたのかもしれない。

なんというか、SNSの発展は良い面もあったが、結局一般人にとってはハイリスクほぼノーリターンなのである。バカッター騒動もそうだし、ちょっとしたつぶやきが名誉棄損になってしまうこともある。昨今、著名人が誹謗中傷をした人間を突き止めたうえで裁判を起こし勝訴する例が相次いでいる。「はるかぜちゃん」こと春名風花は誹謗中傷をした相手から示談金315万4000円を受け取ることとなった。

現・巨人で元・横浜DeNAの井納翔一はDeNA時代、「嫁がブス」とネット上に書いたＯＬを相手に２００万円の請求をした。これは掲示板への書き込みだが、ネットに余計な投稿はしないが吉である。冒頭で登場した「へずまりゅう」は「迷惑系ＹｏｕＴｕｂｅｒ」の呼び名通り、刺身騒動での逮捕とコロナ感染で見事なまでに全国的知名度を獲得し、釈放及び完治した場合はこれまでとはレベルの違う注目度を集めることになった。参議院補選出馬もそれまでの悪名がもたらしたもの。事実彼は参院補選出馬会見で「悪名は無名に勝る」とまで言った。党首の立花氏は、参院補選の後は、２０２２年2月の山口県知事選、同年の参院選にもへずま氏を擁立すると宣言した。

私は「炎上商法」には否定的ではあったが、バカッターやバカ動画をアップしてしまい、人生が毀損されてしまう事態に追い込まれたら、それをバネに炎上商法に手を出すひらきなおりをする者が出てくるようになるとも思う。へずまりゅうがそれをやってのけた場合、日本も「再チャレンジを認める寛容な社会」になるのだろう（棒読み）。

さて、バカッターとして身元を晒されてしまった人々はその後どんな人生を送っているのだろうか。大抵はアカウントを削除し、逃走しているが、あの時の炎上体験を常に思い返し、まっとうな大人になっている、と信じたいものである。

「特定班」という日本のCIA

ここまでネット上の炎上をめぐる有名人を見てきたが、著名人をいかに炎上させるか、という点についても見ていきたい。２０２０年1月、タレント・木下優樹菜とサッカー選手・乾貴士の〝不倫疑惑〟では、5ちゃんねるの「鬼女」の高い調査能力が久々に大注目され、テレビや雑誌でも取り上げられた。それに先立ち、２０１９年10月に「タピオカ屋恫喝騒動」で大炎上し、芸能活動を自粛した木下がその後ＦＵＪＩＷＡＲＡ・藤本敏史との離婚を発表、という流れがあった。

この恫喝騒動は、当時ブームだったタピオカ屋で木下の姉が働いていたのだが、給料未払いがあったなどとし、木下がタピオカ屋の店長に「ばばあ」だの「事務所総出でやりますね」などとメッセージを送ったことに端を発する。元々木下とタピオカ屋は良好な関係にあり、Ｉｎｓｔａｇｒａｍで店の宣伝をするなどしていたのだが、関係がこじれ、フォロワーには店にはもう行かないでいい、などと伝えていた。その後、木下の恫喝メッセージが公になり、謝罪に至った。２０２１年10月には名誉毀損で損害賠償が命じられた。

木下はネット上では完全にヒールと化し、注目が集まったところ、2018年のInstagram投稿から乾との不倫疑惑が取沙汰されたのである。投稿文字を縦読みすると「たかしあいしてる」や「ゆきなだいすき」といった解釈ができる、と一気にネット上はこの話題が席巻。

「たかし」が誰であるかの正体暴きが始まった。様々な「たかし」が登場したが、とあるSNSにこの「たかし」が乾であることを断言するような書き込みがされた。そこからは木下と乾の過去のテレビでの発言や、SNSをあさり、2人の関係と密会があったか否かの調査活動が開始する。乾がプレーするドイツに木下が行っていたことも発掘された。

こうした件については5ちゃんねるでは「特定班」といった言葉が出てきては、その調査能力の高さが称賛される。5ちゃんねるの「既婚者板」の住民である「鬼女」が特定を担う一大勢力であり、「日本のCIA」などと言われたりもする。特定したからといって一切報酬があるわけではないにもかかわらず、時間を使うことについては一種の奉仕精神も感じるが、誰かを不幸のどん底に落としてやりたい、というモチベーションが無償の行動に繋がるのだろう。

特定されて内定辞退

まさに、メディアの記者にとっては「スクープ」を取ったかのようなこうしたネット探偵の特定行為だが、いくつか「特定」について振り返ってみる。

初期の頃を代表するものが、2003年の「JOY祭り」である。自身のサイトを持っていた女性・JOYは居酒屋に行った時に態度が悪い（と自己認定した）店員を、夫と弟が殴ったことを自慢げに書いた。そこから特定の動きが出て、＠niftyのメールアドレスが確認され、そこから本名・住所の特定がされる。また、とある雑誌にJOYが出ていることが突き止められ、顔もバレ、結果JOYはサイトを閉鎖するに至った。これは日本初の大規模炎上とも呼ばれる。

その後は2009年の「ホームレスに生卵を投げつけた神戸大生」が印象的だ。mixiにその動画を公開したが、当然炎上。炎上の後、本人はあくまでもホームレス役の友人に卵を投げただけ、と主張したが、大学に電凸が相次いだ。さらには、内定先の電機メーカーにも抗議が寄せられ、その後内定は取り消し（ないしは辞退）となったという。彼の実名は今でもネットに残り続けている。

だが、翌年彼が別の商社の内定を獲得したという「ホームレス襲撃の大学生、○○内定取り消し後、恐るべきリア充力で商社「××」内定へ」（※○○、××は実際は実名）という2ちゃんねるのスレッドが立ち上がり、××社のホームページの「内定者メッセージ」というページにこの学生が2011年卒として登場しているのを何者かが発見。これにはさすがに「お前らのネット調査力は異常だろｗｗｗｗｗｗｗｗｗｗｗ」などと書かれた。神戸大学のエリートの人生を何としても毀損したいという強い執念を感じる騒動だった。

やばい。こうしたことを考えていたら無数にこの手の件を挙げたくなったが、そろそろ本題に入らなくてはいけない。でももう少し書かせてください。「テラ豚丼」騒動では、すき家の「メガ豚丼」に対抗し、吉野家の店員がとんでもないデカ盛りの豚丼を作る様を動画にし、「テラ豚丼」を作る様を紹介。これがすぐに店舗が特定され、吉野家は関与した者を処分する旨を発表した。

２０１３年以降は「バカッター」騒動が発生。これも愚行をした者が次々と特定され、退学に追い込まれる者も登場した。これで最後にするが、「ＷＢＣクソガキ騒動」も懐かしい。2017年3月、野球の世界一決定戦・WBCの初戦・キューバ戦でレフトスタンドへのヤクルト・山田哲人のホームラン性の大飛球を最前列にいた少年が腕をフェンスの先に突き出しグローブでキャッチ。しかしこれがビデオ判定の結果2ベースに。間違いなくホームランだったはずなだけに、この少年への非難がネット上では殺到し、一時期は「クソガキ」という言葉がツイッターに大量に書き込まれた。

しかも誇らしげにボールを手に持つ様を友人がツイッターにアップしたため、そこから特定班が動き出す。すぐに特定されたが、彼の実名もネットに残ってしまった。しかも我が地元・立川市の野球チームの少年ではないか……。このチームまだ続いてたのかよ、布施君が入っていたなァ……なんて懐かしくなるとともに、この少年はもしかしたら私と同じ小中学校に通っているのかもしれないなぁ……と個人的には心苦しい事件であった。

この件については、山田が「きっちりスタンドインさせなかった自分が悪いので、少年を責めないでください。次もスタジアムにグローブ持ってきて欲しい。今度はちゃんとホームラン打つんで」と試合後に発言した、という美談も登場。しかし、これは完全にガセ。山田はこんなこと言っていない。

知り合いが鬼女だった

さて、私が関わった「特定班」の話をする。木下優樹菜の件で、「鬼女」が話題になった中、『週刊ポスト』編集部から取材依頼が来た。一体特定班や鬼女はどんなモチベーションをもってその行為をしているのか？　という分析をしてほしいということだ。ある程度自分の知っていることを記者には伝えたが、追加で言われた。

「あの〜、実際に〝特定〟をしている人を紹介いただけませんでしょうか」

いや、特定してることを公言するヤツなんていないし、彼らがオフ会をしているわけもないのでそんな知り合いいませんよ！　なんてことは思ったものの、すぐに思い出した。

「あっ！　いましたいました！　今から電話できます！」

かくしてその「特定班」の一人は2020年1月27日売りの『週刊ポスト』に登場したが、その特定手法はさておき、彼女が特定したことにより私がヒドい目に遭った話を書く。

当時、私が関わっていたニュースサイトはライターが勝手に記事を書いてそれを送ってくれれば載せても良いことになっていた。女性ライター・A氏は常にヒット記事を飛ばす敏腕だったが「面白いことに気付いちゃいましたw」と送ってきた原稿は、とあるJリーガー・Xとタレント・Yが付き合っているのでは、という内容だった。

A氏の記事を見ると、XとYのブログに同じソファーが写っていることや、同じ寿司が写っていることなどの共通点を発見。そのことから2人が交際しているのでは？ と分析したのだ。こちらとしてはかなり確証は高いな、と判断して掲載したのだが、すぐにYの事務所社長から激怒の連絡が来た。

「てめぇ、なんてことしやがったんだ。今すぐ事務所に来い！」

もう一人のスタッフとともに事務所へ行き、内線電話をかけると無表情の若い男が出てきた。現場のマネージャーだろう。

「社長、怒ってます？」と聞くと何も言わずただ中に入るよう促された。社長室は長方形の長いつくりになっていて、奥に角刈り・金ピカネックレス・縦縞スーツの50代と見られる男が靴をはいたまま両脚を机の上に投げ出し椅子にふんぞり返ってタバコを吸っている。

私たちの姿を見るといきなり猛烈な勢いで「なんじゃや、この野郎！ 余計なことしやがって！ テメェ、コノヤロー！ エッ、ふざけんじゃねーよ、馬鹿野郎！ テメェ、クソッタレが、エッ！　アホ、このクソッタレ！　タコ！　この野郎、お前なんかがいなければこんなクソみたいなことにならなかったんだ、エッ！　この馬鹿野郎！　CM決まったばかりなのに余計なことしやがって！　これで契約打ち切られたらどーしてくれるんだ！」とまくしたてられた。

こちらとしては「事実を書いたのみです（キリッ）」と先制しようと思ったのだが、先に相手にやられた。もう戦意喪失である。私の同行者も青ざめている。もはやこちらが何かを言えるような状態ではなく、2人して5メートルほど離れた場所で直立不動で激怒する社長の罵倒を聞き続けるだけだった。

要するに、大切に育ててきたタレント・Yがついに念願のCM出演に至ったというのに突然の交際疑惑報道が出てしまった。恐らくクライアントに対しては「交際なんてしていません」といったことを言っていたのかもしれない。「スキャンダルもありませんよ」とも。別に2人ともいい年した大人だし不倫でもないのだから問題ないじゃん、とこちらは思うが、清純派を売りにしていただけに事務所とYにとってはそうも言っていられない。幸せの絶頂にあったというのに我々の報道により一気に冷や水を掛けられる事態となったのだ。

恐らくクライアントへの説明は終わらせた後で、メラメラと怒りが湧き、我々のところに連絡をしてきたものだと思われる。

そして、社長はこうも言った。

「エッ！　ウチを普通の事務所だと思うんじゃねーぞ！　この野郎！」

完全なる恫喝である。同事務所は「あそこは触れない方がいいよ」と言われる某著名な系列の傘下であり、私もすでに編集者歴6年目だったため、そのことは分かっていた。「普通の事務所ではない」と言うだけで具体的にどんなことをするかを言わないというのは相手を脅すにはもっとも効果的である。もしもこの場で私が録音をしていたとしたら、「てめぇ、ウチの事務所はかなり武闘派だぜ。お前とお前の家族がどうなるか分からねぇからな。首を洗って待っていなこの野郎」などと言えば間違いなく恐喝になる。闘い方をよく分かっている社長だった。

社長からは一方的に罵られる展開が延々と続き、気付けば2時間が経っていた。その頃になるとさすがに社長も疲れてきて、自分が田舎から出てきて長い下積み時代を経ていかにして今の地位に納まったかという半自伝のような浪花節的展開になっていた。我々は「ホホーッ」「なるほど」「それは大変でしたね」「いやぁ、さすがです」などとペコペコプレイに徹した。

そして社長はふーっと息をつくと「だからね。ウチも頑張ってるのよ。オタクの仕事も分かるよ。でもね、互いに成長し合いたいじゃん。あのね、こういう邪魔はしないでさ、協力するようなことをしてくれないかな。オレもお前らも仕事をスムーズにやりたいじゃん」と今度は泣き落とし作戦に来た。

我々は「はい、次回、御社のタレントさんのプロモーション的なことがあったら何でもおっしゃってください。すぐに書きますので」と徹頭徹尾バカ下っ端プレイに徹した。我々は2時間半でようやく解放され、その後は疲労困憊し、どちらからともなく「一杯飲みますか……」と渋谷のガード下の居酒屋でジルジルと大瓶のキリンラガーを飲むのだった。

結局XとYが交際しているのかどうかというのをその場で社長は言わなかったが、後の報道では交際は否定していた。ところが我々が事務所に呼び出された2年後、XとYは結婚したのである。

事実を明かしただけだからいいじゃん、とも思うのだが、「特定」するとこんな目に遭う可能性はあるので皆様もご注意を。

「上級国民」の誕生

さて、ここからはネット炎上を引き起こすメカニズムを具体例から考えてみる。大きいのは「嫉妬」の感情である。2019年の春から話題になった言葉が「上級国民」だ。東京・池袋で当時87歳の男が自動車を暴走させ、母子が事故死するほか、9人が負傷した。男の名は飯塚幸三。元通産官僚で、勲章も受章している（後に剝奪）。その後、飯塚も負傷していたことから逮捕されずに病院へ搬送されたが、その翌日に神戸でバス運転手が死傷事故を起こした時には逮捕されたことからネットでは「上級国民」論争が勃発。

飯塚が元官僚で勲章持ちの「上級国民」のため逮捕されないし、メディアも忖度して「飯塚幸三元院長」と肩書で呼んだり、「飯塚幸三さん」と表記した、と指摘されたのだ。いずれも各メディアの表記ルールや共同通信の『記者ハンドブック』に準じた報道姿勢だったが、ネット上では「上級国民様は人を殺しても逮捕されない」といった言説が多数書き込まれた。だが、裁判はその後開廷し、飯塚は2021年9月、禁錮5年の判決を受けた。

控訴はしなかった。

結局「上級国民」は2019年に「ユーキャン新語・流行語大賞」にノミネートされ、ガジェット通信主催の「ネット流行語大賞」では「上級国民／上級無罪」が銅賞を獲得した。『上級国民／下級国民』（橘玲・小学館）という本も出版された。

この事故では「プリウスアタック」という言葉も誕生。高齢者がアクセルとブレーキの踏み間違え等で事故を起こすニュース映像が流れると、そこにトヨタのプリウスが多い、といった声があり、こうした言葉が生まれた。とはいっても、トヨタからすれば風評被害だろう。単にプリウスがよく売れているのと、高齢者に人気ということによる因果関係だと思われる。なお、飯塚はプリウスを暴走させたことについては「ブレーキをかけたが利かなかった。アクセルが戻らなかった」と供述したというが、その後の点検で車に異常は発見されず。その後飯塚は有罪になったが、トヨタはプリウスに問題がないことを調査結果として公表した。

五輪エンブレム問題

それはさておき、この「上級国民」という言葉が生まれたのは2015年9月1日に遡（さかのぼ）る。東京五輪はコロナもあり「呪われた五輪」といった言われ方もされたが、これがその第一弾であろう。同年7月24日に発表された、デザイナー・佐野研二郎氏による東京五輪のエンブレムがその後、ベルギーの劇場のロゴに似ているとそのデザインをした人物から指摘され、「パクリ疑惑」が発生。その後、ネット上では佐野氏の過去のデザイン物にも剽窃（ひょうせつ）があったといった検証が次々とされていった。元々デザイン的にも「えっ？」と思った人が多かったのだろうが、あのまま使い続けていれば普通になじんでいたのでは、とも思う。

そして、「上級国民」という言葉が生まれた経緯については、9月1日にエンブレムの白紙撤回を発表した武藤敏郎五輪組織委員会事務総長の以下の発言がきっかけだ。以下、産経ニュースの会見詳報から抜粋する。

「永井審査委員長に見解を聞いたところ『デザインの（プロの）世界では、佐野氏のデザインとベルギーのデザインは違うと理解している。しかし同時に、一般の国民からみて、納得できないだろう、分かりにくいだろう』ということだった。組織委としては『模倣でない』という専門家の説明がある以上、われわれは専門家ではないのでそう理解していたが、一般国民からは分かりにくいということは一致した見解だった」

武藤氏の「一般の国民」「一般国民」という言葉がネット上ではツッコミの対象となった。この時は「一般国民には理解できないほど高尚なデザインってことか」などと書かれ、「一般国民」の対義語として「さすが上級国民様はお分かりになられるデザインってことですね」的なことが書かれ、「上級国民」が一気に広がった。

5ちゃんねるには「五輪組織委員会『上級国民には理解される。しかし一般国民がこの説明を納得することは難しい』」というスレッドが立ち上がり、以下のような意見が書き込まれた。

「他人を見下す崇高なデザイナー様は言うことが違いますな」

「一般人は口をはさむなだとさwwwなら上級国民の金だけでオリンピックしてくれよなwwww」

そして「一般国民を敵にまわしてどうすんだろこのおっさん」という意見に対しては「上級国民様だぞ。言葉を慎め」というツッコミが入った。こうした経緯で生まれた言葉なのだが、それがその4年後に「流行語大賞」にノミネートされるという異例の事態となったのだ。

デザイン料200億円のデマ

この一連の流れは今考えてもおかしな騒動だったとしか思えない。撤回発表時の「上級国民」というキーワードがとどめを刺したのだが、当初から金持ちに対する嫉妬がネット上で蠢(うごめ)く感覚があった。

「上級国民」という言葉が生まれるまでの経緯を振り返ってみよう。まず、佐野氏が選ばれた直後は「えっ？　これがエンブレム……？」といった戸惑いは確かにあった。その後、ベルギーのデザイナーのオリビエ・ドビ氏がパクリだとＦａｃｅｂｏｏｋで指摘し、一気に炎上。佐野氏への個人攻撃が開始された。

そしてこの件についてはエンブレムの選考委員が、いわゆる「デザイン村」の大重鎮だらけでしかも佐野氏と深いつながりがある、という点も批判の対象となった。確かに選考者を見ると同氏の出身である博報堂の関係者も交ざっていた。同氏が一緒に仕事をしていた電通の高崎卓馬氏も関与しており、「日刊ゲンダイ」には組織委関係者のコメントとして以下の記述がある。

「佐野氏の関係者で固められた審査委員の人選を担当し、自らも審査委員を務めたのが高崎氏。佐野氏がコンペに出展した『原案』の商標登録が通らない可能性が分かった後も、別の作品を選び直そうとせず、修正の道へと主導したのも彼です」

そもそもコンペに応募できる基準がとんでもなく高かった。応募資格は、「東京ADC賞」「TDC賞」「JAGDA新人賞」「亀倉雄策賞」「ニューヨークADC賞」「D&AD賞」「ONE SHOW DESIGN」など、権威ある賞を過去に2つ以上受賞している人に限られていた。だからこそ応募総数は104作のみ。佐野氏のエンブレム撤回後の新エンブレムの公募では約1万5000件の応募があっただけに、選考過程でも「上級国民」限定であったと解釈されてもおかしくない。

2015年、もっとも炎上した騒動はこの件だと個人的には感じているが、あの時の佐野氏へのバッシングは異常だった。そこには嫉妬の気持ちが多分にも存在する。何が根拠なのかは分からないが、同氏の年収が10億円という説がまずは登場。さらには同氏の妻が30億円のビルを物色していた時に「うちの年収は5億円しかない」と言っていた、という真偽不明の情報も5ちゃんねるに書き込まれ、これも独り歩きする。

これに追い打ちをかけるように、五輪ロゴの入ったライセンス商品が売れる度にデザイナーにもお金が入るという説が登場し、「200億円を組織委と佐野氏で折半する」と囁かれた。他にも北京五輪のグッズ販売額が4500億円で、デザイナーには4~5%が報酬として与えられる、という説も登場し、これにならえば佐野氏が180億円を手にする、という書き込みまでされた。

当初採用されたデザイナーへの賞金は100万円と報じられており、これについては広告業界の人々は「サノケンにとってはあくまでも名誉みたいなものだよね」と当時語っていた。この「100万円」という数字が正しいものであり、「200億円を折半」やら「180億円」という数字は完全に嘘である。しかしながら、こうしたデマにつられてしまった著名人がいる。

尾木ママこと教育評論家の尾木直樹氏である。同氏は「東京オリンピックのエンブレムデザイナーにはいるお金　200億！　と言われ　私たちもエンブレム入りのグッズ買えば料金の中にはデザイン使用料が入っているのではないのでしょうか⁉」とブログに書いた。

この「200億円」の根拠については、TBSの『NEWS23』で、「宣伝会議」の田中里沙氏が北京・ロンドン五輪ではグッズの売り上げが4000～4500億円あり、ライセンス使用料は4～5％であり、これを掛けると200億円ほどになる旨を語っていたことにあるだろう。

田中氏はライセンス使用料については言及したものの、デザイナーの懐に入るとは一言も言っていない。だが、これがネット上に書かれ、「佐野に200億円入る！」やら「組織委と100億円ずつ山分け！」といった説に繋がった。尾木氏はこれにまんまと釣られてしまった形となった。そして、その後ブログは削除し、謝罪のブログエントリーを書いた。

さらに問題に火を注いだのが、デザイン村の著名人たちである。名の通ったデザイナーが一斉に佐野氏の擁護をツイッターで開始したのだ。その擁護は大別すると「サノケンはパクリなんかする人ではない」「彼はそんなことをせずとも十分な名声がある。わざわざこのコンテストに応募する必要さえなかった」「彼は心がきれいな人物だ」といったものだ。いずれも「ワシはサノケンと近いゾ！」的な自慢も含まれているような物言いだった。さらにはベルギーのデザイナー・ドビ氏による売名行為では、という意見さえ出た。

そして、彼らの物言いは「ネット上で騒いでいる連中はデザインについては無知であり、素人のくせにガタガタ言ってるんじゃねーよ」「オレ様のようにプロから見ればあのデザインは優れているんだよボケ！」的なものもあった。

こうした「上級国民感」のある展開が続いただけに、2015年の夏は一般国民が上級国民を引きずり落とす、ということで一致団結した形となった。結果的にエンブレムは撤回され、同時に「上級国民」という言葉の誕生に至ったのである。

冒頭の池袋の飯塚幸三により「上級国民」という言葉を知った人も多いだろうが、そこに至るまでの経緯を知れば飯塚への執拗なバッシング（それは当然ではあるが）の理由も分かるのではなかろうか。ただし、今でも思うのは、2015年のあの騒動は佐野氏とその家族に対する重大な人権侵害であり、あそこまで長期にわたる苛烈な個人叩きをするというものは三原じゅん子ではないが「恥を知れ！」である。

思えば初期の五輪ネタはのどかだった

２０２０〜２０２１年、令和の時代のネットではコロナがあったため、東京五輪の開催是非について反対派が憤怒しまくったが、平成の五輪をめぐるネット環境はまったく別の風景だった。罵詈雑言や激怒はあったものの、ベースは「スポーツ」にあり、東京五輪のように「政治」がイシューではなかったのだ。まぁ、結果的に「東京五輪をすれば人がバタバタ死ぬ」という反対派の根拠はすべて嘘だったわけで、検証されないまま、その後も音楽フェスへの反対やらをし続けた。

さて、思えばコロナ以前、東京五輪に対する最大のネット上の懸念は、初期は２０１４年にネットで多数書き込まれた件だ。ＡＫＢグループのプロデューサー・秋元康氏が組織委員に就任したことである。当時、２ちゃんねるやツイッターでは、「秋元氏が大人気だったＡＫＢグループを開会式に起用する」という説がまことしやかに囁かれていた。というか、既成事実のようになっていた。そのため、開会式の演出案や代表が誰になるのかといった議論が活性化していたのである。

だが、結果的に総合演出は当初野村萬斎が担当することになり「和のテイストになるのか」と安心された。しかし野村を統括とする7人のチームは解散。元々パラリンピックを統括する予定だった電通出身の佐々木宏氏が五輪も担当することに。新たなスタートとなったが、2021年3月、「渡辺直美に豚の恰好をさせる『オリンピッグ』」というLINEでのブレインストーミング的やり取りにおける佐々木氏の書き込みが『週刊文春』に報じられた。これが問題視され、同氏は辞任した。

もう純粋に楽しめない

「五輪とネット」について最後に一つ振り返っておかなくてはいけないことを紹介する。それは、韓国嫌いと親韓派が浅田真央とキム・ヨナを持ち出してバチバチやりあっていた件だ。2人にとってはいい迷惑である。

2000年代後半から2010年代中盤にかけてのフィギュアスケートの世界ツートッ

プであるキム・ヨナと浅田真央のライバル関係は日韓のネットユーザーにとっては「代理戦争」のような感じになり、互いに罵倒をし合っていた。もちろん日本人の嫌韓派と親韓派もやり合っていた。

フジテレビが「韓国のコンテンツを流し過ぎる！」ということで２０１１年８月に５０００人規模の「フジテレビデモ」が発生。以降同局は不調に陥ったが、その前兆とも言えるのが、２００８年、『とくダネ！』が番組中に浅田が転倒する場面をパネルにした件だ。これが「反日テレビ局」認定の根拠の一つとなり、以後、フジテレビの「反日疑惑」が次々とまとめられるようになる。

この件についてはラサール石井も巻き込まれた。いや、自ら墓穴を掘った。２０１１年５月１日にこうツイートしたのだ。

〈浅田真央ちゃんは早く彼氏を作るべき。エッチしなきゃミキティやキム・ヨナには勝てないよ。棒っ切れが滑ってるみたい。女になって表現力を身に付けて欲しい。オリンピックまでにガッツリとことん！　これは大事〉

さらには〈恋愛もＳＥＸも人間には欠くべからざる行為だ〉ともツイート。その後これらのツイートは削除し、謝罪した。

こうした過去があるラサール石井だが、今年3月の森喜朗・前五輪組織委会長の「女性蔑視発言」の際は、以下のようにツイート。

〈妄想だが、座敷牢に入れてテレビなども見せず、実際の開催か中止に関わらず開催したことにして、「ほら開会式が始まったぞ。聖火が来た」と教え、鉄格子を掴んで「見せてくれー!」と叫ぶ。そんな刑だな〉

森氏の女性への意識の低さを批判したわけだが、この時は10年前の浅田に対する発言をぶり返される結果になった。

五輪とネットをこうして振り返ってきたが、なんだかもうネットがなかった頃のロサンゼルス五輪(1984)やバルセロナ五輪(1992)、アトランタ五輪(1996)の時の方が純粋に楽しめていたように思ってしまう。ソウル五輪(1988)は日本の金メダル数が4個という大惨敗だったため、楽しめなかった。それは別の理由である。まぁ、そうは言っても私がネットを見ることを仕事にしていただけに、五輪にまつわるこうしたネット上の騒動ばかり追っかけてき過ぎた面はあるが……。特殊な考え方かもしれない。

「悪魔化」した安倍晋三氏

2020年8月、安倍晋三氏が総理大臣の職を辞任することを発表した。私個人の感覚で言えば、「自民党も民主党も散々1年で辞める総理だらけだった中、よくぞ8年間近く総理であり続けたよな」と、その点だけは評価している。

何しろG7サミットでも存在感を出せた総理など、小泉純一郎氏と中曽根康弘氏以外、いないからだ。サミットでは日本の首相は唯一のアジア人ということもあってか、常におどおどして、ホスト国である時以外は集合写真では隅っこに写る総理を見続けてきただけに、安倍氏のあの堂々とした様子にはホッとしたものだ。

「モリカケ・桜、説明しないまま去るのか！」なんて言いたくなるかもしれないが、敵を倒すには、より魅力的な政策を出すべきなのに、野党は政権批判こそ自らの支持率を上げるはず！という手を長年にわたり使い続けた。なんだか「政策のプロ」というよりは「糾弾・重箱の隅をつつくプロ」といった印象を与えてしまったのである。

「攻めることによる政権交代」は古臭い手法である。後に森友問題の籠池夫妻を野党は英雄視し、長男が「野党は両親を利用した！」などと異議を唱える、といったよく分からん展開になったし。結局「悪魔の証明」で無駄に国会の時間を使っただけじゃないの？

さて、ネットが一般に普及した後（２０００年〜）の総理のネット上の評価はどのようなものだったのか。分かりやすい評価を全員分してみる。

●小渕恵三…「平成おじさん」を経て「冷めたピザ」となった。そして沖縄サミットを契機に２０００円札を発行したが、その後急死したというイメージ。娘は群馬の地元民を東京へ観劇に連れて行き公職選挙法違反の疑惑が出たが、秘書がドリルでハードディスクを破壊した小渕優子氏。小渕首相は調整型としては優秀だった、との説もあるが、在任期間が短すぎて評価はしづらい。

●森喜朗…「神の国」発言で批判に晒され、さらにはクリントン・米大統領に対して「Who are you?」と言い、クリントン氏が「I'm Hillary's husband」と答えたところ、森氏は「me, too」と言った、というトンデモ都市伝説が生まれた。しかし「森氏だったら言いかねない」といった評価をされた。その後も東京五輪やラグビーW杯などをめぐり「老害」扱いをされ続けた。小池百合子氏とのバトルでも名高い。結果的に「女性蔑視発言」で東京五輪組織委会長を辞任。

●小泉純一郎：北朝鮮の拉致被害者5名を奪還した功績、「郵政民営化選挙」「自民党をぶっ壊す」などの「ワンフレーズポリティクス」で話題に。ネットでもそれなりに高い評価。ただし、その後の「脱原発」ではまったく支持されず。

●安倍晋三（第一次政権）：「美しい国日本」で、保守派からの圧倒的な支持を得た。だが、持病の潰瘍性大腸炎で辞任せざるを得なくなり「悲劇の宰相」扱いに。左派からは「お腹が痛いのね、よしよし」のように扱われたり「下痢晋三」などと揶揄された。

●福田康夫：官房長官としての冷静なイメージが強かったが、総理になる。面白みがあまりないと思われていたが、退陣会見では記者に対して「あなたとは違うんです！」と発言し、これが人気のAAに。

●麻生太郎：漫画が好き、べらんめぇ口調で保守派からはネットで人気となったが「カップラーメンの値段を知らない」「漢字が読めない」などでメディアから叩かれ、その後は選挙で大敗し、政権交代を許す。

●鳩山由紀夫：政権交代後初の総理として期待を集めたが米メディアからは「ルーピー」と呼ばれたり、沖縄に対しては基地問題で「最低でも県外」と述べたり、「トラストミー」と米国に言うなど、二枚舌外交がアダに。ただし、批判的なネットの反民主党政権派からは散々「やる夫」をベースとしたＡＡを作られ、「ネットのおもちゃ」としての人気度で言えば歴代№１に近いかも。

ピコーン

＜余計なこと聞いた！

●菅直人：元々は薬害エイズや「Ｏ－１５７騒動の際のカイワレ大根を食べて安全性アピール」など、厚生大臣としてそのイケメンっぷりが人気があった。だが、東日本大震災の際の首相だったため、「現場を混乱させた」「活動家上がりには首相はできない」など散々な言われよう。運がなかった。また、サミットでも「ぼっち」姿が目立つ結果となった。

●野田佳彦：意外と評価が高い、泥臭くバランスに富んだ「どじょう総理」。安倍氏の挑発に乗り、解散総選挙に打って出て惨敗。

●安倍晋三（第二次政権）：とにかく左派からは徹底的に悪魔化・独裁者扱いされた人物。「アベガー」という言葉を生み出し、何かと左派から叩かれ続けた。選挙に勝ちまくるも、この様は「一強」「独裁」と言われるほか、「アベ政治を許さない」とやたらとカタカナで呼ばれる人物だった。

●菅義偉：官房長官時代ののらりくらりとした答弁が総理になっても健在。コロナ対策を押し付けられた感もあり気の毒な面はあるが、リーダーシップのなさは批判された。何しろ新型コロナウイルスの対策をする「分科会」「医師会」に加え、全国の知事から突き上げられる姿ばかり見させられたのだから。結局2021年9月の自民党総裁選には出馬せず。コロナ騒動下では誰がやっても批判されたであろう、と同情する声もネットでは多数出た。

●岸田文雄：なぜか勝ってしまった人、という程度のイメージ（2021年10月時点）

こうしてネットが普及して以降の総理を見てきたが、存在感を発揮したランキングトップ3を挙げるとこうなるだろう。

①安倍晋三

②鳩山由紀夫

③麻生太郎

3位については麻生氏と小泉純一郎氏で迷ったが、まだ小泉氏の時代はそこまでネットが普及していなかったほか、麻生氏はネットが普及した後も何かと存在感を出し続けたため、小泉氏は④となる。

その意味では森喜朗氏もそこそこ存在感はあった。⑤と言ってもいいだろう。「森元首相」と書かれることが多かったため「森元」というあだ名もついたほどだ。結局森氏は東京五輪の組織委会長として「女性蔑視発言」をして、別の意味で強い存在感を示した。

2020年の自民党総裁選は結局菅義偉氏が勝利したが、総裁の座を争った石破茂氏、岸田文雄氏と比べれば、左派からすると叩きがいがある首相となった。

それまで「アベ以外ならば誰でもいい」といった意見は書かれつつも、石破氏であれば野党に近い考えを持っており、現野党支持者からはどのように扱っていいのか分からず、岸田氏はいかんせんイメージがない。そんな中、菅氏は東京新聞の望月衣塑子記者を冷遇した、と言われていたほか、アベ政治を引き継ぐ人物として捉えられていた。

ネットの「叩き」は、ネット上（特にツイッター）の政治クラスター（政治に関心のある層）

からすれば「華」である。「アベロス」が発生したものの、菅氏が首相に就任したら与党・野党両方の支持者にとって、イキイキと意見が書き込めて生き甲斐が生まれる状況になったろう。「アベ政治を許さない」は左派にとってポピュラーな言葉だったが「スガ政治を許さない」もやはり登場した。

民主党政権下、自民党支持者は鳩山由紀夫氏という最高の「おもちゃ」を手に入れ、散々ＡＡでおちょくり続けた。その後、菅直人氏、野田佳彦氏が首相になってからは「首相いじり」で精彩を欠くほど、キャラ立ちしていなかった面もある。せいぜい、菅氏が福島第一原発の対応をめぐり「僕は原発に詳しいんだぞ！」と現場を混乱させた、といった説がある程度だ。

首相が「キャラ立ち」をしていればいるほど、ネット上の政治議論は盛り上がる。所詮、ネット上の「首相いじり」など「キャラ立ち」しているか、そして「悪魔化」できるかどうか次第なのである。そういった意味では、短命に終わった菅政権はそこまでいじりがいはなかった。

岸田首相もキャラ立ちしていない。もっともこれまで目立ったのは２０２０年の総裁選の時だ。議員宿舎で食事をしている様子をツイッターに投稿したのだが、その際エプロンを着けている妻が脇に立っていることから「なぜ妻を立たせる!!　家政婦扱いか!!」と難癖をつけられた時のことだ。

第二章

炎上がもたらした悲劇

ドラマの「ヒール」設定で自殺

恋愛リアリティショー『テラスハウス』（フジテレビ系）に出演していたプロレスラー・木村花さんが２０２０年５月に亡くなった。シェアハウスでの恋愛模様を流す同番組で彼女が同居人の男性に乱暴な態度を取ったことから、彼女への批判がネット上で巻き起こったのである。テレビ番組の演出を叩く根拠にしたわけだ。

ネットで彼女を死後も誹謗中傷する人物を突き止めた木村さんの母親・木村響子さんは同氏を相手に裁判を起こした。ただし、被告は出廷していない。テレビの取材に対し、母親は娘が亡くなったというのに、誹謗中傷をするコメントを一つ一つ保存する作業がつらかったと語っていた。一審では長野県の男性に１２９万円の支払いが命じられた。そして、ネット上での誹謗中傷等に対するペナルティは、２０２２年にも法制化されることになった。

木村さんの死に対しては、哀悼の意と罵詈雑言を浴びせた者たちへの批判が多数書き込まれたが、「ＳＮＳの書き込みなんて無視すればいいのに」といった意見もあった。だが、本人にとっては向けられる言葉の一つ一つが鋭い凶器のようなものだった。プロレスの場合、受け身を取ることによりダメージを抑えることはできるが、それができない状態だったのだろう。

誹謗中傷された理由は、『テラスハウス』で同居する登場人物にキツい言葉を浴びせた、というものらしい。「恋愛リアリティショー」と銘打っているものの、実際は芝居である。木村さんのような激しい性格の役柄もあってこそ作品は面白くなるわけで、演じた役柄に本気で怒るというのはもう「お前らバカか」としか思えない。こうした単純過ぎる人々は刑事ドラマに出演する殺人者にも同様に怒りを覚え、誹謗中傷を浴びせかねない。

そして、死後番組は打ち切られたが、その後も木村さんに対しては「お前のせいで楽しみにしていた番組が終わってしまった」といった書き込みが登場した。なんという低い民度であろうか！

「ネットの誹謗中傷と著名人の自殺」という件では、韓国では2000年代から発生していた。2007年に歌手のユニさんや女優のチョン・ダビンさんがネットの誹謗中傷を苦にして自殺したと報じられた。最近でもKARAの元メンバー、ク・ハラさんが自殺した。

日本の著名人はネットの書き込みを苦に自殺した、という件はこれまでなかっただけに韓国との比較で「日本の芸能人メンタル強過ぎ！」などと書かれていた。私が見た分析では、「韓国語は罵詈雑言のバリエーションに富んでおり、心を完全にへし折るが、日本語はバリエーションに富んでおらずそこまで傷つかない」というものがあった。だが、木村さんも自殺しただけに、この説では説明がつかないだろう。

印象深い「ネット絡みの若干著名人の自殺」は、２０１３年の岩手県議・小泉光男氏（享年56）がある。同氏はブログが炎上し、その後テレビ局からも追い回され、後日自動車の中にて遺体で発見されたという。

小泉氏がブログに書いた内容は、端的に言うとこんな感じだ。

・県立病院に行き、会計の際、「２４１番」と呼ばれたことに対してキレた。「ここは刑務所か！」と思ったというのだ。番号ではなく名前で呼べ、と同氏は感じた。

・さらに、支払いは１万５０００円の上得意なのだから、担当者がこちらに来るべきだと感じた。

・この時、会計をすっぽかして帰った。

・その後クレーム電話を入れるも、待たされた上にエラい人が出なかった。

どう考えても小泉氏の言い分はただのモンスタークレーマーである。だが、同氏は県議という立場上、同氏が考える顧客サービスの観点から県立病院の改善に繋げるべく「正義の告発」をしたと自身は感じていたのだろう。

このブログ執筆後は非難が殺到。ネットニュースが取り上げるほか、テレビ局も同氏を自宅まで追い掛け回す。県庁には抗議が殺到し、同氏は後に謝罪会見をするに至った。

そして、自殺した。

これについては、「ネットが直接的な原因」とは言えないまでも、ネットを見た人々が一斉に同氏をネット&リアルで批判したことから耐えられなくなったのであろう。そうした意味では小泉氏も「ネット関連自殺」と捉えることができる。

スマイリーキクチ事件

今では「ネットいじめ」「LINEいじめ」といった言葉も登場しているが、人間は誰かをいじめなくては成り立たない存在であることは昨今のネットを見ているとしみじみと感じることである。正直、こんな世界からはさっさと撤退したいが、一応私もフリーのライターとして色々宣伝する必要があるため、ネット投稿は続けている。

私自身、ネットがあるお陰でうまいことやった人間ではあるものの、昨今の「罵詈雑言や誹謗中傷があまりにもやりやすくなった」という状況については危惧している。本来インターネットは「集合知」や「見知らぬ人との出会いをもたらし、イノベーションをもたらす」「ヘーゲルの弁証法を体現するもの」といったポジティブな文脈で捉えられていた。だが、果たして平成の時代に私が述べた「ウェブはバカと暇人のもの」という真理はさらに加速化し、ついに令和の日本でも木村花さんを自殺に追いやってしまった。

ネットの誹謗中傷については、かつてある殺人事件の加害者扱いをされた芸人のスマイリーキクチが長年の闘いの末に冤罪を証明された例がある。

キクチは元々は芸人として活躍していたが、いつしか「ネットの誹謗中傷に対峙した人」という立場になった。本来芸人の活動に専念したかっただろうに、その活動を邪魔される騒動に巻き込まれ、以後理解者の少ない長き闘いに入った。

キクチの場合、誹謗中傷者19人の書類送検に至るまで1999年頃から2009年初頭までの長期にわたった。当時の警察は「ネットなんて便所の書き込みでしょ?」的なスタンスだったため、その深刻さを理解してもらえなかったのだ。

だからこそ10年もかかってしまった。今回、木村さんの件も、ツイッターとプロバイダの開示請求には裁判を起こしてまでようやく認められた。2020年9月、総務省は「インターネット上の誹謗中傷への対応に関する政策パッケージ」を発表。ここでは以下4つの方向性が示された。

①ユーザに対する情報モラル及びICTリテラシーの向上のための啓発活動
②プラットフォーム事業者の自主的取組の支援と透明性・アカウンタビリティの向上
③発信者情報開示に関する取組
④相談対応の充実に向けた連携と体制整備

ネットの誹謗中傷に対する世間の理解は進んだ感があるが、なんだかんだいって「被害者が泣き寝入りする」事態の方が圧倒的に多いのが事実である。開示請求にあまりにも手間がかかるし、SNSの運営者やプロバイダは余計な仕事を増やしたくないため個人情報保護法を盾にして開示を拒否する。

そこをいかにして突破するかは弁護士の腕にかかっているというのが現状である。そこを今後はより簡便にし、被害者を守っていくというのが総務省の方針だ。

しかし、問題は、ネット上に安易に誹謗中傷を書く人々が「軽い気持ちだった」と多くの場合言うことだ。ネットとはいえ公の場なのだが、一時期の感情で誰かを傷つけ、場合によっては自殺に追い込む。さらに、有罪判決が出たとしても、カネがなく賠償金を払えない例もある。

それだけの凶器を我々は手にしてしまったのである。銃刀法は人々が安易に銃刀で人を傷つけぬよう存在するが、ネットにしても同じである。今後、「過去にネットの誹謗中傷で誰かを自殺に追い込んだ者は今後一切のネット発言を禁ずる」といったことにもなるかもしれない。

表現の自由の問題との兼ね合いはあるにせよ、この手の法整備は進めなくてはならないだろう。いい加減、ネットがない時代を前提とした法律の数々は刷新せい！　立ち上がれ、日本の法曹関係者よ！　と思うのである。

竹内結子さん急逝で元夫に批判

２０２０年9月27日、女優・竹内結子さんの自殺を受け、歌舞伎俳優・中村獅童のインスタグラムに非難が殺到。元々２人は夫婦だったが、２００８年、中村の不倫も原因とされて離婚した。だからこそ「彼女に一生謝罪する気持ちで生きろ」などと書かれたのだ。

竹内さんが亡くなった段階の中村の最新の投稿は生後３ヶ月の息子の満面の笑顔写真だが、ここにこうしたコメントが多数書き込まれたのだ。よく赤ちゃんの顔写真の脇にこんなことを書けるものだ。死の翌日となる28日にはさすがに「今は外野が余計な心配や文句を言う時ではありません」や「何でこんなに好き勝手に憶測で物を言う人がいるんだろ」と、無駄な正義感から書き込まれた無意味な批判コメントを諫める書き込みも多数登場した。

同様の件では、２０２０年7月、俳優・三浦春馬さんが亡くなった後も、過去に熱愛報道がされた女優・三吉彩花のインスタグラムのコメント欄に批判が多数書き込まれた。三吉は真っ黒画面の「ストーリー」に「毎日しっかりと過ごしています。ただ、もう少し時間をください。何も整理できていなくて。ごめんなさい」と意味深なことを書いていた。

いずれの例にしても、「お前が彼女（彼）を粗末に扱ったから、傷つけたから自殺したんだ」といった決めつけを基に書き込んでいる。一体あなたは亡くなった当人の気持ちをなぜ知っているのか？　竹内さんの場合は勝手に「産後うつ」であったことを指摘する人も出ているが、そんなこと分かるわけもない。

三浦さんの件では、舞台『罪と罰』で共演したメンバーが追悼の会を開催。その際に公開した写真で皆が笑顔だったこと、共演者の勝村政信が色紙に「でかちんくんへ　愛してるよ　永遠に」とメッセージを書いたことから炎上した。彼らの笑顔とこのメッセージが「いじめ」であると指摘されたのだ。

後に勝村が説明したところによると、三浦さんは勝村を「カッチン」と呼び、自身は彼のことを「デカチン」と呼んでいたのだという。だが、勝村はこうしたメッセージを発することがどんな影響を及ぼすかきちんとした意識を持っていなかったとし、謝罪した。

私も自殺した友人を追悼する会に参加したことはあるが、「皆で笑顔でアイツを送ってやろうよ」と笑顔で写真を撮影することは自然なこと。それなのに三浦さんの場合は「死んだことを嘲笑い喜んでいる」と解釈されたのだ。

芸能人サンドバッグ

こうして芸能人が理不尽な批判に晒される例を見てきたが、ネットでは常に芸能人と罵詈雑言がセットになっている面がある。2ちゃんねる、ブログのコメント欄、ツイッター、インスタグラム、ＹｏｕＴｕｂｅ、そしてニュースサイトのコメント欄などがその現場である。

あまりにも「荒らし」が多い上に罵詈雑言が寄せられるため、いつしかブログのコメント欄を閉鎖する芸能人だらけになり、日本最大のブログ・アメブロの芸能人ブログの場合は運営側により管理され、罵詈雑言や不適切なコメントは表示されないようになっている。

私もネットニュースの編集者としてかつてはコメント欄を解放していたが、あまりの内容の酷さに閉鎖した。それを読んだ当事者が傷つくのを恐れたほか、「無秩序な場所を放置した」などとして訴えられるリスクを勘案したのである。

どうやら芸能人というものは「サンドバッグ」にしても良い存在だと思われているらし

い。それを「有名税」という言われ方をするし、「金持ちなんだからいいだろ」とも思われている。あとは「人気商売だから反撃してこないだろう」と思われているのかもしれない。それでいてたとえばツイッターで反撃をくらうと「フォロワーが多く影響力のある人が私のような一般人を反撃するのはおかしい」といった理屈をこねる。さらには「信者に攻撃するよう暗に命令した」などと分析されることもある。

いや、違うのだ。芸能人や著名人であろうとも一人の人間なのである。先にも述べた通り『テラスハウス』に出演していたプロレスラーの木村花さんが散々罵詈雑言をネット上に書かれ、それが理由かは分からぬものの自殺の可能性もあると見られる亡くなり方をした。

この時、さすがにネット上では「やり過ぎた」とばかりにシュンとする者が多かったし、執拗に彼女の悪口を書いていた者はＩＤを消して逃亡した。これから木村さんの母親による誹謗中傷者の特定及び裁判、という流れになったが、喉元過ぎれば熱さを忘れる。

その後、お笑いコンビ・アンジャッシュの渡部建の不倫が発覚した時、人々は渡部を猛烈に叩き続けた。時に「渡部さんが自殺したらどうするんですか？」と諌める声も書かれたが、「それだけの悪事をこいつは働いた」と反論される。これは中村獅童に対する声と同様だ。

「有名人だから甘んじろ」という意識

思えば多くの芸能人がどうでもいいことで叩かれ続けてきた。たとえば、紗栄子が初期の頃叩かれた理由は、ダルビッシュ有と結婚したからである。日本最高の投手かつ、イケメンが結婚する相手としては「格下」扱いされ、「玉の輿」に乗ったことが許せなかったのだろう。まぁ、紗栄子の実家は金持ちだし、今、彼女は実業家として成功している。ダルビッシュの相手が竹内結子さんや新垣結衣であれば恐らくは叩かれなかったはずだ。妙な嫉妬の感情で、ブログをつぶさに見ては2ちゃんねるに悪口を書き込み続けた。2人が結婚式をハワイで挙げた時は、子どもを置いて行った、ということにされていた。これが虐待扱いされたわけだが、根拠はブログに子どもの写真が写っていないことと、テレビのワイドショーが2人だけの映像を流したことである。実際は連れて行っている。

その後も紗栄子は前澤友作氏と交際をして叩かれたし、第二子はダルビッシュの息子ではなく、ベビーシッター男性の息子だという憶測も登場。理由は顔がダルビッシュに似ておらず、シッターに似ているからだというもの。おいおい、あんまりそんな根拠のないことを書き込み続けているといつ訴えられるか分からないから注意してね。

あとは恋愛バラエティ番組『あいのり』（フジテレビ系）に出演していたブロガーの桃さんも叩かれる。彼女の場合、「自分の生活をこれでもか！　とばかりに出し続けている」ということに加え、生活のすべてを見せつけそれを切り売りしている点が叩きの対象となっている。それで儲けているのが気に食わないのだろうが、だったらあなたもやればいいじゃないか。彼女は様々なリスクを取って自分の生活を公開しているのだから、文句を言う筋合いはない。また、彼女の場合は「芸能人じゃないのに有名になり、さらに芸能人の知り合いもいる」という「私だって同じようなことができたのに……」的な捉えられ方をされていることも叩かれやすい背景にあるだろう。夫とのツーショット写真をブログに公開すると、「彼は嫌がっているのに無理やり撮影させられた」と、これまた名探偵ぶりを発揮されてしまう。

それにしても、２０１６年、熊本地震の時に笑顔の写真をインスタグラムに公開したら叩かれた長澤まさみは気の毒だった。さらに気の毒だったのが、熊本在住の井上晴美だ。彼女は現地の様子をブログに書き続けていた。多くの人が見るだけに、被害の様子を知ることができ、募金や救援物資の寄付などに役に立つ情報を彼女は出していた。しかし、彼女に寄せられた批判は「お前だけが被災したわけじゃない。被害者ぶるんじゃない！」式のものだった。これにはさすがに井上も「辛い」とブログをやめてしまった。

それにしても「有名人なんだから悪口ぐらい甘んじろ」という意識が蔓延しているのはおかしい。最近ではテニスの大坂なおみに対する罵詈雑言が酷い。曰く「スポーツに政治を持ち込むな」「日本人ならラケットを投げるな」「ダメンズと付き合っているように見える」などだ。あと、「政治ではなくスポーツに専念しろ」はもう無茶苦茶だ。全米オープン優勝は十分スポーツに専念した結果である。それにいちいち他人の生き方に文句つける人生、虚しいだけってことに早く気付かないと貴殿の人生もっと惨めなものになってしまう。

イラク人質事件以降の自己責任論

2004年4月の「イラク人質事件」以後、ネット上では「自己責任論」が一つの重要なイシューとなった。小泉純一郎首相時代の福田康夫官房長官が高遠菜穂子、郡山総一郎、今井紀明の3氏に対し「自己責任」と会見で述べたことも影響したか、ネット上はこの3人を叩く声だらけだった。

批判者の論点は「渡航禁止区域に勝手に行ったんだから自分が悪い」「こいつらの救出にいくらカネがかかると思っているのだ（犯行組織への裏金なども取沙汰されていた）」「行かないよう求めても、敢えて危険地域に行ったのだから政府に責任を取れと言われても……」というものだろう。3人は「イラク3バカ」と呼ばれるようになった。ただし、当時の米国務長官コリン・パウエル氏は「イラクの人々のために、危険を冒して現地入りをする市民がいることを、日本は誇りに思うべきだ」と述べた。日本のネット世論とは逆の意見なだけに、当時の日本の自己責任論が吹き荒れた状態は世界から見れば異常だと指摘する向きもあった。

以後、災害があっても「自己責任」だし、東日本大震災から数年経っても仮設住宅に住んでいる人々はバッシングの対象となる。最近でも重度障害を持つ沖縄県在住の生徒が普通の市立中学校の修学旅行に参加するにあたり、介助者らへの補助金が少ないことに親が異議を呈した件も物議を醸した。これについては、「県立の支援学校に通ってない時点で自己責任かつ普通学校に通わせたい親のエゴ」などとバッシングが発生する。

ただし、不思議なもので、2004年5月にイラクで亡くなったジャーナリストの橋田信介さんと、2012年8月にシリア・アレッポで亡くなったジャーナリストの山本美香さん、2015年1月にイスラム国に殺害された後藤健二さんに対しては自己責任論はあまり出ず、「立派な人だった」という声が多かった。後藤さんの場合は、「I am kenji」のボードを掲げ、釈放を求める人々がSNSにその画像を公開したり、集会を開くなどした。

他に自己責任論がネット上で噴出した人々の名前を挙げると、安田純平さん（ジャーナリスト）、湯川遥菜さん（民間軍事会社経営）、香田証生さん（フリーター）の3人だ。複数回拘束され、釈放された安田さんに対しては今でもバッシングが存在するが、湯川さんと香田さんに対しても「ミリタリーオタク」「自分探しの夢追い人」的なイメージがあったため生きている時はネット上で相当叩かれた。

香田さんの場合は、ヨルダンのホテルで映画監督の四ノ宮浩氏にイラクに行きたい旨を伝えたが、四ノ宮氏が引き止めたもののそれを振り切ってイラクに行ったことなどもあり、「無謀」「観光旅行じゃねーんだよ」のように揶揄され、数日間は2ちゃんねるでは批判が多数書き込まれた。

その後、香田さんがナイフで首を落とされる動画がネットに公開され、その様子を描くAAも登場し、以後2ちゃんねるでは様々な局面で使われるようになる。

ただし、香田さんの場合は、両親が「迷惑をかけて申し訳ない」「息子は自己責任で行った」といった会見を行ったことから、バッシングは収束へ。さらには四ノ宮氏も香田さんが物見遊山でイラク入りを目指したのではなく、戦地を知ることの重要性を知っていた勇敢な若者だったと述べた。

上記のことから危険地域に行った人に関する「自己責任論で叩かれる人々」には2つの条件があると思われる。

①生きて帰って来た人物
②戦地の素人（と感じられる）
①の典型例が安田さんであり、②が香田さんと湯川さんと最初のイラクで誘拐された3人だ。この3人は①でもある。亡くなった人にしても香田さん、湯川さんは生前は無茶苦茶に叩かれていた。バッシングが止んだのは死後である。結局自己責任論については「死んでお詫び」するしかないというのがネットの空気なのだろう。

登山家の栗城史多さんは、エベレスト登頂に何度も挑戦したが、あまりにも無謀な挑戦と思われており、ネットには一定数のアンチがいた。だが死後はそうしたアンチも追悼のコメントを書くようになった。今現在叩かれている人は多くいるが、死してようやくその罵倒から解放されるのだろう。実に残酷である。

私の場合、基本的には自己責任論者であるが、それは「オレの努力が足りなかったからうまくいかなかったんだな」と何か失敗した時に思うことや、災害時に自治体や国に何かをしてもらうのではなく、「さっさと新拠点に移って新しい生活をすればいい」と考える点にある。あくまでも「自分」に対してのみ自己責任論を展開する。他人に対してあまり自己責任論は展開しようとは思わない。働けるだけの健康状態があるにもかかわらず、一切働こうとしない者のようにあまりにもどうしようもない場合はその気持ちを抱くかもしれないが、ゴリゴリの自己責任論者というわけではない。

当事者性を持つこと

日本における自己責任論の端緒がイラク人質事件だとすると、その2年前の2002年2月に私は戦後まもないアフガニスタンへ、雑誌の取材のため行っている。だから戦地へ行く人に自己責任論を振りかざそうとは思わないのだ。首都・カブールでは頻繁に銃声を聞いたし、帰りに陸路で経由地のパキスタンを目指した時もイタリア人ジャーナリストが殺害された現場で黙禱をしたり、銃を持った兵士の検問を受けるなどし、時に命の危険を感じた。

いつ殺されてもおかしくはなかっただけに、高遠さん、郡山さん、今井さんに対して嘲笑の声を浴びせたり自己責任論を振りかざす気にはなれなかった。仮に彼らの釈放に対して10億円の身代金が政府から払われたとしよう。身代金については、陰謀論も含めて様々な意見があるのでその真相については踏み込まない。あくまでも「仮に10億円だったら」という話だ。すると国民一人あたり８円。他にも減らせるカネはあるのでは、とも思う。
だからこそ、彼らが解放された時は安堵の気持ちになったし、拘束されている時の恐怖と不安感を慮（おもんぱか）った。それはあくまでも自分にもアフガニスタンへ行ったという「当事者性」があったからだ。結局高遠菜穂子さんとは、雑誌『ＢＲＵＴＵＳ』の「手紙特集」の時に「危険地帯経験者同士」ということで交換日記の企画をするに至った。

こうしたこともあり、その後の中東で拘束された人々を見ても揶揄する気にはなれない。２０１９年夏には安田純平さんと初めてお会いし、酒を飲んだ。「生きてて良かった」とその場にいた人々とはその生還を喜び合った。安田さんについては、同じ時期に一橋大学にいた、というのもある。彼は私よりも1年早く入学しているが、卒業は同じ年だ。たかだか１０００人しかいない大学の同期卒業の人間として、勝手に親近感を覚えていたのだ（ただし在学中は会ったことはない）。だからこそ「当事者性」はより強い。

さて、話は被災者の「自己責任論」について。高齢者はさておき、東日本大震災の40代被災者が震災から数年経っても仮設住宅に住んでいる姿を見ると「元気なのになんでさっさと東京なり大阪なりで仕事探さないの？」と思ったことはある。同時に「行政に頼っているだけでなく、長い目で見たらせっかくの働き盛りの今、スキルを活かし、さらには新たに身につけることで安心の老後になるんだよ」とも思った。

こんな感覚を抱いてしまうのは、私に当事者性がなかったからだろう。親戚・友人に被災者がいないのと、あとは「故郷に愛着を持つ」という感覚がまったく理解できなかったのである。しかし、２０２１年２月、福島原発事故から10年を前に福島第一原発へ実際に行き、内部の取材をするとともに、福島の人から原発事故にまつわる話を酒を飲みながら聞いたところ「仕方ない面もあるな」とようやく当事者意識を持つことができた。

結局「自己責任論」で批判するかしないかというのは、当事者性の有無による。実感がないのだ。自分の常識とは異なり過ぎる行動をする人の行動原理が理解できず、それでいて「他人様に迷惑をかけた」状態になっていると考え許せなくなり、ネットの大バッシングに発展する。

喫煙者が肺がんにかかっている様を見て「自己責任だ」「因果応報」「ざまぁみろ」と述べるのは簡単なこと。だが、酒飲みである自分が肝臓がんになった時、同様のことを喫煙者に対して言えるか？　そういうことなのである。

多分、ネットの炎上は人類に良い影響はもたらさないだろう。不満を持った者にとってある程度のガス抜きになるくらいだ。だからこそ、炎上や罵倒の数を少なくするためにも様々な当事者性を持つことを勧めたい。その方法は簡単で、以下のような人と接し、そのうえで、その人にシンパシーを覚えれば良いのだ。対象は「身体障害者」「貧困生活者」「戦場へ行く人」「被災者」「基地周辺住民」「同性愛者」などどんな人でもいい。これまでの考えが変わってもいい。変わることは恥ではない。だからこそ、多くの人と会うことは人生を豊かにしてくれ、自らをより「深い」考えができる人間に育ててくれるのである。

ネットコンテンツとしての「嫌韓」

ネットで福島に対する差別は根深いが、それよりも長い歴史を持つのが韓国に対する差別と嫌悪感だ。さすがに２０２０年以降、コロナ騒動のため韓国に対する話題はネット上では激減したものの、それ以前までネットの大盛り上がりコンテンツは「嫌韓」だった。

２０１９年夏、徴用工訴訟に端を発するフッ化水素等の輸出規制をめぐり、日韓関係が戦後最悪とも言われる状況になった。それにあたり、日本のユーザーがネットに書き込む韓国に関する意見は、もはや「娯楽」のごとき状況になった。私は8月30日号の『週刊ポスト』のコラムで、この様を「嫌韓」から「嗤韓」（しかん＝韓国を嘲笑うこと）と評した。

ＧＳＯＭＩＡ（軍事情報に関する包括的保護協定）破棄を含む韓国が次々と繰り出す対日のコメントや報復措置がことごとく「もっとやれｗｗ」状態になっていたのだ。「まったく困らない」といったコメントも書かれるほか、韓国国内で文在寅大統領への抗議デモが発生すると、こんな反応になる。

「ムンムンにはあと2年間、反日政治を頑張ってほしい」

「余計なことをするな」

歴代の韓国大統領は妙なあだ名がつくことで知られているが、文氏が最も「反日的」であることから、このまま北朝鮮と韓国がくっつき中国・ロシアとの「レッドチーム」を作ることをそれなりの数の日本のネットユーザーが期待しているのである。２０２０年８月から9月にかけた2ヶ月、文氏及び韓国政府、韓国市民による行為は「吉本興業の芸よりも面白い」とまで評されたほどである。ちなみに盧武鉉氏は「ノムタン」で、李明博氏は「あきひろ」で、朴槿恵（パククネ）氏は「クネクネ」である。「ムンムン」が文在寅氏のことである。

2019年段階で私は韓国にまつわるネットの論調を見続けて17年となったが、この時の反応は珍しい。かつては「怒り」として韓国ネタを見ていたであろう人々が、フッ化水素を含む3素材の輸出管理厳格化以降の2ヶ月間、とにかく韓国ネタを娯楽として消費しているのである。それは、5ちゃんねるやネットニュースのコメント欄だけでなく、私がウオッチしている韓国関連話題に元々反応していたツイッターユーザーのこの6年ほどのツイートの変化を見ても感じられる。

フジテレビへのデモ

思えば「嫌韓」がもっとも激しく吹き荒れたのは2011年だろう。7月下旬、俳優・高岡蒼甫（そうすけ）（現・高岡蒼佑）が、フジテレビに対して発した以下のツイートが発端だ。

〈正直、お世話になった事も多々あるけど8は今マジで見ない。韓国のTV局かと思う事もしばしば。しーばしーば。うちら日本人は日本の伝統番組求めてますけど。取り合えず韓国ネタ出て来たら消してます^^ ぐっばい〉

これにより高岡は所属事務所を解雇された。事務所にとっては大クライアントであるフジテレビを公然と批判したのだから、その理由は分かる。だが、高岡と同様の考えを持つ人たちは「愛国の義士・高岡を放逐したフジテレビを批判せよ！」とばかりに動き出し、8月7日に250人規模（諸説あり）のデモを実施。その後もネット上では21日の参加者を募る動きが発生し、当日は約5000人が参加したとされている。

私も当日現場を取材し、「NEWSポストセブン」に記事を掲載したので、この時のシュプレヒコールを同サイトから引用してみる。


「フジテレビは偏向報道をやめろ！」

「我々はK－POPなんて聞きたくない！」

「フジテレビは日の丸・君が代をカットするな！」

「フジテレビは放送法の違反をするな！」

「フジテレビは電波免許を返上しろ！」

「フジテレビは公共の電波を利用し、グループ会社だけが儲かる仕組みを作った！」

「フジテレビと番組スポンサーは同罪だ！」

「我々はフジテレビスポンサーの不買運動を継続するぞ！」

この時期、ありとあらゆるフジテレビによる報道やイベントが「反日的」と断じられ、フジ叩きは加速した。いくつか例を挙げる。これの真偽についてはここでは論じない。あくまでもネットで炎上した事実のみを挙げる。

・浅田真央が優勝した時は国歌を流さないが、キム・ヨナが優勝した時は流す
・浅田真央が転倒した時のパネルを番組中で使用した
・サッカーの「日韓戦」を「韓日戦」と表記した
・自社イベント「お台場合衆国」の冷やし系人気メニューNo.1が「冷やし韓国」
・『笑っていいとも！』の人気鍋ランキングで1位は20～60代すべてで「キムチ鍋」
・『笑っていいとも！』でピザハットの人気ピザランキング1位が「プルコギピザ」
・高麗大学が日枝久会長（当時）に名誉経営学博士号を授与
・ドラマの小道具の写真週刊誌の表紙に「JAP18」（架空のアイドルグループ名）という文字があった
・ドラマに登場したTシャツに「Little boy」という文字があった。これは広

島に落とされた原爆の俗称。また、その後のシーンで太った男が着ていたシャツに「9」とあった。これは長崎に原爆（Fatman）が落とされた「8月9日」を表すとされた・系列の東海テレビの昼の情報番組で「岩手県産のお米・ひとめぼれ3名プレゼント」企画の当選者3名が「怪しいお米　セシウムさん」になっていた

この動きはスポンサーにも及ぶようになる。フジテレビの大スポンサーということで、花王への不買運動が発生したのだ。花王のロゴである三日月の目を「吊り目」にし、韓国をイメージさせようとした。フジテレビのスポンサー企業である「反日企業」は続々とリストアップされ、不買が呼びかけられた。おいおい、日本人従業員が圧倒的に多い企業に対して何やってるんだ、オラ、といった指摘は通用せず「反日のフジに資金を出している時点で反日企業だ！」といった状況に。

デモ後にたまたま花王の株価が下がれば「勝利宣言」が出る。梅酒で知られるチョーヤがこうした動きの中、連ドラにCMが出なかった時は「反日企業・フジテレビからCMを降ろしたチョーヤは愛国者！」とばかりに拍手喝采。だが、実際は毎週流す契約ではなかったのだという。

ソウルフードは韓国料理？

他にも色々あったが、フジテレビ＝反日、という図式は２０１１年に定着した。この頃、東日本大震災があったほか、サムスンや現代自動車の好調などもあり、多くの日本人が元気を失っていたのでは。さらに、震災後に韓国で行われたサッカーのＡＦＣチャンピオンズリーグ２０１１の全北現代vsセレッソ大阪の試合中、観客席に「日本の大地震をお祝いします」の横断幕が掲出され、被災者を含む多くの日本人を激怒させた。この年には韓国のＫ－ＰＯＰグループ３組が『紅白歌合戦』に出場したことから紅白当日には「韓流紅白ぶっつぶせデモ」もＮＨＫホールの外で発生した。

これ以降の韓国に対するネットの「怒り」は無数といって存在する。だからこそ「２ちゃんねるとネット右翼（ネトウヨ）ウォッチング＆その分析」というブログは以下の打順を組んだ。いずれも頓珍漢なのだが、「日本人は虐げられており、在日コリアンは特権を持ち、韓国は過度に日本を叩いている。我々は被害者だ！」といった感情が表れているようにも見える。以下、同ブログの２０１４年11月9日の記述だ。この「打順」というものは、インパクトが大な出来事を野球の打順のようにしてまとめることである。

1（中）免税店を在日特権と勘違い
2（二）韓信を韓国を信じろと読み大騒ぎ
3（遊）∋（集合記号）をハングルだと思い込む
4（三）ソウルフードを韓国料理だと思い込む
5（一）『Chosen by Voters』を朝鮮人の組織票だと勘違い
6（右）洋食屋パトラッシュを在日の犬肉屋だと勘違い＆騒ぐ
7（左）華族を中国人だと思い込む
8（捕）朝日新聞本社に押しかけてカレーを安くしろと無関係の食堂にデモ
9（投）李田所にマジで釣られる

補欠1『SAPIO』（小学館）に抗議するデモのウヨが小学館本社前で「『ネットと愛国』を出した小学館は謝罪しろ～！」とデモ（↑『ネットと愛国』は講談社で『SAPIO』編

集部は小学館本社でなく別のビルに存在していた）
補欠２　オーストリアが教科書に「東海」を載せたのでネトウヨがオージービーフの不買運動（←恐らくオーストラリアとオーストリアを勘違い）
補欠３「従軍慰安婦に謝罪をすべき」との水木しげる氏に対して「戦争にも行ってないくせに」とネトウヨ暴言
補欠４　二桁×二桁の掛け算が出来ない20歳過ぎのネトウヨも存在
補欠５「２０１５年7月9日に在日コリアン強制退去」のデマに踊ったネトウヨが入管サーバをサイバー攻撃

一部説明が必要なものもあるが、２番の「韓信」は中国・漢を作った劉邦配下の名将。たまたまフジテレビのドラマの台所のシーンで「韓信匍匐」と標語が書かれていたため、細部にも親韓的なものをまぶし、洗脳しようとしたと捉えたのだ。「韓信匍匐」は「大きな目的のためには辱めを受けても争わず受け流す」という意味だ。８番の「カレー」については、２０１２年、自民党総裁選で安倍晋三候補がゲン担ぎで食べたカツカレーが「高い」と朝日新聞他が批判的に報道。これに対し、朝日新聞の社員食堂のカレーはもっと高い、ということで朝日に対して「お前らの方が高い」とデモを決行。ただし、あくまでもそのカレー屋（正確にはフランス料理店）は朝日の中にテナントで入っているだけで、朝日の社員食堂ではない。9番の「李田所」とは、生活保護1億1451万4000円を不正受給した朝鮮総連の81歳幹部。24歳で来日してから何度も強姦をした、という架空の人物だが、本気でこの人物がいると信じこんでいた件である。

2014年の「4（三）ソウルフードを韓国料理だと思い込む」は、とある男性が「ソウルフード」の言葉とラーメンの写真をツイッターに公開したところ、日韓断交を訴えるIDが「ラーメンは日本の食文化です勝手に韓国料理にしないで下さい。貴方は在日朝鮮人ですか？　盗人猛々しいにも程があります！」とツイートし、嘲笑された。つまり、〝soul〟と〝Seoul〟の違いさえ分からないバカだと思われたのだ。

この件についてはは「釣り」の可能性はあるものの、当時の「とにかく韓国に関連するものをホメたら叩く」状況だったら「あり得るかな」と思わせるものだった。

こうした「嫌韓」「日本人は虐げられた民」的状況から2019年は韓国を徹底的に哀

れみ、見下す状態になった。そして2020年以降、コロナ騒動で韓国叩きは大分減った。ただし、韓流やK－POP、韓国映画ファンは熱心に韓国についてネットに書き込み続ける。

被害者でさえ炎上させられる異常性

大阪府大東市のマンションで2021年4月、住人の大学4年生の女性（21）が殺された事件が発生したが、容疑者は、彼女の下の階に住む48歳の警備員の男だった。鈍器で左後頭部を殴られた粉砕骨折と左腿を刃物で刺された結果の死だ。結果的にこの男は自殺し、死後書類送検された。

この時、不思議だったのが男を擁護するコメントがネット上で相次いだことである。理由は、女性がSNSに自宅で開いた誕生会の様子を公開したことに起因している。

要するに、「リア充」（リアルな生活が充実した人）である彼女が連日のようにパーティーをし、男の平穏な生活を毀損した、という説が登場したのだ。騒音トラブルが頻発していたため、男が耐えきれなくなって殺害した、というストーリーになったのだ。

だが、実際そうした事実はなく、男は「上階の人に見張られている」などと親族に話し、過去に住んでいた別のマンションでも「隣人に見張られている」などと入居初日に日記に書いていたことが判明した。

男の元隣人も、産経新聞の取材に対し、壁を叩かれたことを明かしている。多い時は1日に5〜6回叩かれていたのだという。そして、女性の部屋からの騒音はなかったことを証言している。

こうした証言を見ると、男が「騒音を立てられている」と妄想していたように感じられてしまうが、真実はよく分からない。

ただ、ここでネット関連の意見で問題視したいのは、被害者女性が「騒音をまき散らかすパリピ（パーティーピーポー）」として扱われ、バッシングを食らった件についてである。

ネット上ではリア充は叩かれやすい傾向がある。この被害者女性も勝手にリア充・パリピ扱いをされ、「毎晩騒ぎまくっていた迷惑なバカパリピ」というレッテルを貼られ、ネットでは叩かれ続けた。

「一緒に騒いでた友達は責任感じてるかな　まあリア充は一年もしたら忘れるか」

「5年間も騒音に悩まされてたと思うと男性が可哀想で泣けてくる」

この2つについては、完全に被害者を悪者扱いしている。そしてこんなものもあった。

「どうせしょっちゅう男咥え込んでパコパコやりまくってうるさかったんだろ」

これの意味は「騒音を日々まき散らかすような若いビッチ（Bitch＝クソ女・売春婦）は日々SEXばかりしているのだろう」という決めつけがある。

どこをどう捉えても加害者が悪いに決まっている。それなのに、被害者がバッシングを食らう事態になったのである。

この例を見てもよく分かるのだが、ネットはもはやおかしな世界なのだ。一部のアタオカ（頭がおかしい人）が一か所に集まり、そこで同じような意見が書き込まれる。そしてそのおかしな意見が「世論」めいたものになるのだ。

こんな異常な世界で誹謗中傷を書き続けた者がある時、名誉棄損で裁判を起こされ「軽い気持ちで書いた」とのたまう。

当件で問題なのは、①女子大生だからということでパリピのビッチだと判断された、②就職氷河期世代の警備員の男――この2つの属性で被害者こそが加害者で、男が「不遇な人生を送ってきた可哀想な人物で殺人に及ぶことも仕方がない」と判断する人間が少なからずいたことである。

炎上の理不尽さがよく分かる騒動である。人は思い込みで勝手に何かを書き、それが炎上に繋がり、被害者であっても二次被害をネットで受けてしまうのである。

理不尽過ぎた辻希美の炎上

被害者が泣き寝入りしがちなネット炎上だが、それに対する耐性をつけ、以後したたかに利用する人物もいる。辻希美である。厳密に言うと彼女は「炎上」はしていないが、「炎上文脈」で取り上げられることが多いので、その実態が何かをここでは報告する。

2009年春、アメーバブログでブログを開始した辻は、当初は楽しそうにブログを更新していたものの、途中から弱音を吐くようになったという。辻に近しい関係者と会うとそんな話をしていた。具体的には、ブログを「ヲチ」(ウオッチ)する人間が大勢いて、2ちゃんねるに悪口を散々書かれていているのを発見し、それを本人がチェックするのが習慣になり心を痛めてしまったというのだ。当時のアメブロは今ほどコメントのチェック機能は確立されておらず、「縦読み」で悪口を書くとそれが反映されるなどしていた。

「私の毎日を積極的に書くよ！　ファンのみんな、楽しみにしていてね！」——辻はモーニング娘。時代にファンに接するかのように振る舞っていた。いや、当時は芸能人としての姿を見せるだけだったが、ブログではプライベートな姿を見せるだけに一歩踏み込んだ接し方と言えよう。

しかし、結果は日々押し寄せる誹謗中傷の嵐。途中からコメント欄はなくし、ヘッダーに使っていた辻の顔写真が消え、イラストになったりもした。前述の関係者は「辻ちゃんがネットの書き込みに心を痛めているようです」とも言っていた。今でこそアメブロの「殿堂入り」の辻だが、当時はイヤになってやめてしまうのでは……といった危惧もあった。

ならば、一体辻はなぜ日々炎上していたのか。

どうでもいい話である。

そのうちの一つで壊滅的にどうでもいいのが、「やたらと料理にウインナーを使う」というものだった。お弁当には切ったウインナーの断面が大量に上を向いており、朝食にご飯、味噌汁、焼き鮭、納豆とあり、「いいですねぇ、日本の朝食。でも、もう少し野菜も欲しいですね。ほうれん草のおひたしなんてどうですか？」なんて思っていたらそこに目玉焼きが加わる。おいおい、これはいらねーだろ、と思ったら、さらにウインナーまで登場する。

さらには、おせち料理があるにもかかわらず、ぶっといウインナー（しかも丁寧に切れ目入り）を焼いたものがあったり、ハンバーグの付け合わせに大量のウインナーを載せ、海苔巻にもウインナー。極め付けは流しそうめんにウインナーを入れたことだ。

確かに流しそうめんにウインナーを入れるセンスについては承服しかねるものの、現在辻とその娘の希空（のあ）ちゃんは立派に料理をしている。あくまでもウインナーが好きで好きでたまらないのだろう。他人の家の食生活などどうでもいいのに、ネット民は徹底的に辻をボコボコに叩く。

炎上というものは、「明らかに自分が悪かった」ということから発生するだけでなく、こうしたどうでもいいことからでも発生する。同様の件で言えば蓮舫参議院議員が、サンマの塩焼きをツイッターに公開した時も炎上した。サンマの頭が右側を向いていたのである。すると〈焼き魚の頭は左だろボケ〉〈おめぇは外国から来たからわかんねぇんだろ〉

などの罵倒が寄せられた。同氏は〝事業仕分け〟の際の「2位じゃダメなんですか？」発言が有名だが、オリンピック等で日本人選手が金メダルを獲得するとツイッターには「1位じゃダメなんですか？」的なメンション（特定の相手にメッセージを宛てること）が送られる。自分は悪くなくても、アンチが存在する限り、「炎上風」な状態は常に発生してしまうのだ。東京五輪でも、スケートボード男子ストリートの堀米雄斗が金メダルを獲得した時に〈堀米雄斗選手、素晴らしいです！　ワクワクしました〉とツイート。かねてより東京五輪の開催に反対していただけに、この時も炎上。そしてお決まりの〈2位でもいいんじゃないですか？〉が書き込まれた。

アンチを客にするしたたかさ

話は辻に戻るが、その後も彼女はどうでもいいことでバッシングされ続けた。後藤真希の母親の葬儀に参列した時、喪服のスカートが短すぎたり、黒いリボンをつけていたことは非常識だとされた。息子が新幹線の席であぐらをかいていたら「行儀が悪い」と叩かれた。さらには、辻一家がグリーン車に乗っていたことから「子供にグリーン車は贅沢過ぎる」という批判もあった。息子が寿司を手でつまむ姿が汚い、といった批判もある。

今でも毎日のように彼女に対する誹謗中傷はネットに書かれ続けているが、今や辻は蛙の面に小便とばかりに、嬉々として日本最強クラスのブロガーとして一日に複数回更新し、その日常を綴るとともに、仕事の告知もしている。

ある時を境に辻はいちいちネットの誹謗中傷を気にすることなくブログをイキイキと更新し始めた。もしかしたら「私がウインナーをブログに出せばみんな反応してくれて、アクセスも増えるし、これってＷｉｎ－Ｗｉｎの関係なんじゃない♪」なんて思ったのかもしれない。以後の快進撃は今も続いている。辻のブログは、仰天するほどのＰＶがある。これは当然お金に直結するだけに、辻は途中から「私を叩きたい人って実は私のお客さんなんじゃないの♪」ということに気付いたのかもしれない。

インターネットの画期性というものは、「アンチも客になる」ということである。これまでのメディアの場合、基本的にはファンしか見ないし購入しなかった。「赤文字系」や「青文字系」などと表現される女性誌などその最たるものである。私もかつて雑誌『テレビブロス』の編集をしていたが、『ＴＶガイド』や『ザ・テレビジョン』など、芸能人をとにかくホメ続ける「王道」的テレビ誌が苦手なサブカルな人々が読者だった。だからこそ、ジャニーズの悪口は書くし、テレビとはまったく関係のない特集を作りまくっていた。もしもジャニーズのファンが読んだら抗議の電話でも来るだろうが、あくまでも『テレビブロス』の編集方針が好きな人が買ってくれているのだから、抗議はそれほど来ない。つまり、アンチは買ってくれないし、客ではないのだ。

だが、ネットはアンチが「叩く材料探し」のためにサイトを訪問する。これはPVを上げカネに直結するのである！　ある時から辻はその法則を利用するかのように、イキイキと炎上上等で日常を赤裸々に発信し、子供たちを次々と産み、その成長過程を記す。アンチ辻の下級国民がやっかみをもって叩き続けるも、辻は豪邸への引っ越しを報告し、子供用の豪華プールを購入したことを報告する。

もはやネット界の最強的存在として君臨する辻だが、夫・杉浦太陽の存在もその戦闘力強化に大いに寄与している。結婚当初こそ「ままごと」扱いをされたりもしたのだが、2人して立派に仕事をこなし、子育てをする。まさに当代最強の「イクメン」の杉浦がアメブロでも最強クラスのブロガーとして存在しているのだ。杉浦自身の好感度も高く、夫婦揃って稼ぎまくっている。

そんな地位を2人して確立してきたが、そこに追い打ちをかけるかのように「もうダメ、アンタには負けたよ」とアンチに思わせたのが2018年12月の第4子誕生である。この頃になると少子化問題に悩む日本としては、この夫妻をホメるしかなくなっただろう。

辻がブログを開始してから12年。ここまで見事なまでにファンとアンチ両方を満足させ、しかも彼らを使ってカネを収集する存在になろうとは……。まだまだ第5子誕生もあり得るし、さらには子供たちが日々成長するものだからブログのネタはまるで困らない。長女・希空ちゃんなど、中2にしてパン作りの名人に成長した。

かくして幸せオーラ満開の辻に対し、アンチは杉浦が実は不倫をしていたり、子供たちがグレることを期待するしかなくなった。そうした日が到来することを夢見ながら、今日もアンチは辻のブログを見てYouTubeのチャンネルを訪れ広告費発生に貢献し続けている。

プロは配慮をしまくっている

こうしてネット炎上をしてもお金を含めメリットだらけなのが「カネ儲けと割り切った著名人」だが、やはり炎上は人生をぶっ壊すことを改めて考えてみよう。ここでは私自身のことも書いてみる。

前にも書いたが、炎上を語る上で避けられないのがやはり2013年夏、熱病のごとく日本中を席巻した「バカッター騒動」であろう。記念すべき第一弾は高知県の某コンビニチェーンのオーナーの息子がアイスクリームの冷凍庫で横たわる写真を、友人とされる人物がFacebookに公開したことだ。

「もう22になる人が何をしゆがで！　あえて言おう！　カスであると！」というコメントとともにこの写真により店が特定され、結果的に同店はフランチャイズ契約を解除された。とはいっても、私が妙にツボに入ったのは、「あえて言おう！　カスであると！」の一言だ。これは、40代以上の人なら知っている『機動戦士ガンダム』のギレン・ザビのセリフで当時よく使われたものだ。若いのによくこのセリフを知っていたと驚いた。

冷凍庫の中に入った人物も、彼を撮影しネットに公開した人物も両方ともバカである。私は幸いなことにこれまでの実生活でバカとはほぼ会わないで済む人生を送り続けているが、日本のバカ人材の層の厚さを2013年のバカッター騒動は見事なまでに知らせてくれた。

その後も「ハンバーガーのバンズの上で寝転がるバイト」「回転寿司店で醤油さしのノズルを鼻の中に入れるバカ」「ソバ屋の食洗機の中に入るバイト」など、大勢のバカが登場し「バカ」+「Twitter」で「バカッター」という言葉が定着した。

この件についてネット時代に生きる我々が考えるべきは、私のような〝発信〟する術を与えられ〝特権階級〟扱いされている人間が言うことはゴーマンと感じられるだろうが、「公の場で発言するには資格が必要」ということである。私はプロのフリーライター・フリー編集者としてこの約21年活動しているが、名誉棄損の裁判は1回しか経験していない。結局20万円の示談で終了した。

クレームは多数受けたことはあるが、裁判は1回だけである。散々ヤバいネタを出し続けたことは分かっているが、「ガチでヤバい!」情報というものはこの21年間で1回しかなかったということである。

一応私も外注先とはいえ、一部上場企業のニュースサイトの編集を担ってきた人間である。かなりの配慮をした編集活動を続けてきた。だからこそ2006年から2020年の15年間で11万本以上の記事を出してきたものの訴訟沙汰は1回で済んでいる。それだけ「ネット炎上」については相当な配慮をしてきたということだ。

しかし、「バカッター騒動」においては、ネットでの情報発信の素人である若者が店を廃業に追い込んだことから訴訟沙汰になったりもした。

これを見ると、「ネット上の情報発信のプロ」である私の方が圧倒的にこの「バカッター」のバカよりも本来は影響力は何百倍もあるにもかかわらず、よっぽど慎重にやっていたということを意味するだろう。こちらは一つ一つの記事の内容、そして見出し、写真のキャプションに対しても「訴えられないようにしよう」という配慮をしまくっている。

しかも、一般人のツイッターよりも何千倍ものPVを稼ぐ。そうした状況を日々体験しているがゆえに、とにかく「訴えられない工夫」「訴えられても逃げられる一言一句」を記事と見出しでは心掛けている。

「ひとこと」の重さを知らない

しかし、こうした仕事をしていない人は「ひとこと」の重さを知らない。だからこそ余計な炎上をした挙句に訴えられてしまうのだ。2013年のバカッター騒動では、食洗機に入った様子をバカッターされた東京都内のソバ屋が倒産に追い込まれたりした。「私はただの一般の学生です」やら「私なんてフォロワーが少ないただの主婦です」みたいな言い訳をしたくなった者も多かっただろうが、ネットという公の空間に誹謗中傷やらをまき散らかした場合は〝影響力〟が元々どれだけあろうが関係ない。「ただの一般の……」といった言説は、リツイートの数やら5ちゃんねるのまとめサイトで盛り上がった時点で「ネット有名人」へと昇華し、多大なる影響力を持つこととなる。

今でもツイッターでは著名人に対する罵詈雑言が次々と書き込まれている。これは「有名人に対してであれば何を言っても良い」という「有名税」的な考えがあるからだろう。また、安倍晋三元首相を揶揄するようなコラージュが作られたが、このコラージュをリツイートした人物が述べたのは端的に言うとこれだ。

〈橋下徹氏に対して同様にやったら訴えられるかもしれないけど、安倍氏だったら絶対に訴えてこないだろうから安全地帯からやったんだね〉

その通りなのである。ネットでは「とにかくウザいヤツ」になることが勝利への鉄則なのだ。橋下氏については、何らかの誹謗中傷をしたらいつ訴えられるか分からないという恐ろしさがあるから悪口は書けないし、妙な「まとめ記事」は作れない。だが、安倍氏であれば総理大臣（当時）という立場もあるため、いくらでも悪意に満ちたまとめ記事を作ることができる。

こうしたまとめやらブログがPVを稼ぎ、広告費をそのサイトにもたらす。ああ無情。しかも、こうしたコピペ&肖像権&著作権法違反のサイトの管理人の実名が流出した場合は、その人物は人生が終わる。2019年9月、韓国に対するヘイトスピーチをSNSで連発していたDeNAの社員が身バレし、会社が謝罪する騒動があった。「彼女の言うことは理解できる」的な意見は多数あったものの、韓国人を一方的に叩くようなツイートを連発するような人物がBtoC企業の社員でいたということは大問題だろう。やはり組織を背負うような人間はSNSでの発言においては品行方正を心掛けなければならないのだ。

こうした観点から考えると、組織を担っていない人間は何を言っても良い、ということになる。2ちゃんねる元管理人の西村博之氏は「無敵の人」という概念を提唱した。これは、無職だったりして社会的に背負うものがない人間は失うものがないが故にネット上では何をやってもいいし、実生活で犯罪をしてもたいしたダメージはない、という指摘である。

これはまさに慧眼とも言えるもので、失うものがない人間はネットでいくらでも罵詈雑言を書くことができるし、威力業務妨害等で逮捕されても「刑務所に入った方が、今よりもまともな生活が送れるからまぁいいか」といったことになる。

2013年に多発したバカッターにしても、やらかしたのはバイトや学生など、社会的にはそれほど失うものがない者が圧倒的に多かった。正社員も時々存在したが、これは少数派だった。

一旦ツイッターをやめざるを得なかった

今、私自身のことを述べるが、失敗はもはや許されない状態になっている。理由は、あまりにも多くの「一流企業」と一緒に仕事をしているからである。あと、２０２０年９月をもってしてセミリタイアをし、その後残る弊社従業員・吉河未布をきちんと受け入れてもらうべく、現在付き合っていただいている企業と良好な関係を維持し続け、歓迎の念をもって迎え入れていただく必要があったからだ。

とにかくセミリタイアまでの1年間はツイッターはやめたのだ（今は再開している）。吉河にイベント等の「告知」ツイートはしてもらっていたが、私が個人的に考えることやら政治的なツイートは一切やめたのだ。この状態になってから1年を終えたが人生で困ったことはまったくなかった。

そこまで考えると２００９年から開始したツイッターって一体なんだったの？　という話にもなってくる。あくまでもリスクをもたらすだけの厄介な存在だったのでは？　ということだ。今現在はこうして書籍を出したりして告知をする必要があるのと、フリーライターに戻り、自分の書いた記事へのリンクをツイッターで告知することはＰＶ稼ぎの面で重要。この場合はツイッターをやる必要はある。

だが、こうした立場ではなく匿名でフォロワーの少ない一般人であれば別だ。２０１３

年に多発した「バカッター」。様々な若者が失職したり退学に追い込まれた。皆さん、SNSやる意味って本当にあるの？　これは今一度考えてもいいのではなかろうか。

第四章

炎上を見れば人間が分かる

「めっちゃ天皇！」

令和元年（2019年）、大嘗祭も終わり、今上天皇の即位関連行事が終了した後、令和の時代における炎上に関し、驚くことがある。それは「炎上しない」という意味での驚きだ。昭和の時代に生まれた者としては、ヒヤヒヤすることが多い。

10月22日、天皇皇后両陛下が乗ったお召し列車が駅を通過する様子を撮影した動画がショートカット動画投稿アプリ・TikTokに投稿された。女子高生たちが「どこにいる⁉」「どこどこどこ⁉」「どれどれどれ⁉」と興奮しながら叫んでいる様が収められていたが、車内に立つお二人の姿が確認されたら「ギャ――――‼」と嬌声があがり、後は「やばいやばいやばいやばい‼」となり、極めつけが「めっちゃ天皇！」だ。

この動画をツイッターに転載した人物は「爆笑した」と書いていたが、リツイートの数は8・4万で、「いいね」は31・6万件ついた。これを見た人も女子高生のこの感覚を微笑ましく思っているし、この興奮する様から皇室がいかに愛されているか、といった意見を述べる人もいた（小室圭さんの件で色々潮目は変わったが）。

「めっちゃ天皇！」の意味としては一昔前風に言えば、「あの、天皇陛下が本当に私の前をお通りあそばした」ということだろう。だが、令和の女子高生は「めっちゃ天皇！」と素直な気持ちを吐き出す。これに関してはタモリがギャルから「超タモリ！」と言われたという話に似ている。テレビの画面でしか見たことのない著名人が目の前にいると「本物がいた！」という意味で「超」をつけたくなったのだろう。「めっちゃ天皇！」も同じ文脈だと思われる。

女子高生の反応とそれに対する人々の反応を見ると、時代は変わったな、とつくづく思う。そしてそれは良かったと思う。しかも、こうした動画を「ほのぼの動画」としてネットに出し、それを皆が楽しむ時代になって良かった。もしも昭和の時代にネットがあり、この動画を投稿したら間違いなく「不敬である」と動画投稿者は炎上→ＩＤ削除に追い込まれ、「いいね」をつけた者も激しい批判を浴びたことだろう。

『はだしのゲン』の天皇批判

昭和48年（１９７３年）生まれの自分は、天皇家と言えば「反天皇」ないしは「右翼を恐れる」のどちらかの文脈、ないしはマスコミが過度に丁寧な言葉を使って報じる様しかイメージがなかった。

「反天皇」で言えば、戦中ないしは戦後間もない頃に生まれた親世代は天皇のことを「天ちゃん」などと言ってバカにするほか、日本を戦争に追いやった極悪人、といった発言をしていた。漫画『はだしのゲン』でも天皇は批判的論調で描かれたし、歴史の教師も天皇に対しては厳しい意見を述べていた。

広島の原爆投下とその後の世界を描く漫画『はだしのゲン』は小学校で珍しく置かれることが許される漫画だった。作中には以下のようなセリフがある。

「殺人罪で永久に刑務所に入らんといけん奴はこの日本にはいっぱいいいっぱいおるよ」

「だ だれじゃ」

「まずは最高の殺人者　天皇じゃ　あいつの戦争命令でどれだけ多くの日本人　アジア諸国の人間が殺されたか」

「数千万人の人間の命を平気でとることを許した天皇をわしゃ許さんわい　いまだに戦争責任をとらずにふんぞりかえっとる天皇をわしゃ許さんわいっ」

同作品の連載が開始したのは1973年のため、いわゆる美智子さまご成婚の際の「ミッチーブーム」や「テニス場の恋」といった天皇家と国民の距離が近付いたとされる時代を経た後の話だ。それでも同年生まれの私の時代は「反天皇」系の論説は一定数あった。

なお2013年、『はだしのゲン』は〝歴史認識に誤りがある〟ということから島根県松江市の学校図書館に置かないよう市民から要望が出るなどした。ここでは天皇にまつわる表現というよりは日本兵が「中国人の首を面白がって切り落とした」などの表現に対し、待ったをかけた形だ。当時のネットでは「反天皇的」であることを問題視する声もあった。

その後、松江市の教育委員会等でも議論され、描写が過激であることなどを理由に書棚ではなく書架に置く閲覧制限がかけられた。だが、その後表現の自由を謳う人や子供の学ぶ権利を重視する人たちから閲覧制限に反対する声があがり、今は多くの学校で制限は撤回されている。なお、要望を出した松江の市民は餃子店経営者。韓国との間の竹島を巡る領有権問題に関心を持ってもらいたいと焼き餃子7個とイカバジル、キュウリの漬物、アルコール類がセットになった「竹島セット」（1500円）を販売し、産経新聞に取り上げられたこともある。

右翼を恐れなくなった

前出の「右翼を恐れる」の面で言えば、ある程度の年齢に達すると「天皇に対して不敬な言説を述べると右翼の街宣車がやってくる」という知識を得るようになる。実際にそのような例はそこまで多くはないだろうが、とにかく天皇家については言葉遣いを丁寧にしなくてはいけない、と考える人が増える。決定的だったのが、2000年の『噂の眞相』編集部への右翼団体構成員による襲撃事件である。元々同誌は皇室に対して批判的ではあったものの、暴力事件にまで発展した。ページの両端に「○○との説」や「○○との噂」といった「一行情報」が掲載されていたが、この中で「雅子さま」を「雅子」と呼び捨てにしたことから抗議を受け、話し合い中に激高した構成員により岡留安則編集長と川端幹人副編集長が負傷する。

岡留氏は後任の編集長として川端氏を指名しようとしていたものの、この事件がきっかけで川端氏は同誌を続ける自信を失い、結局同誌は廃刊となった。

こうした事件があったからこそ、公の場で天皇家に対して言及する場合は、腫れ物に触るような扱いはマスコミ界でも続いていた。「天皇」「皇后」「皇太子」「秋篠宮」などと書くと「不敬」だと文字のプロである編集部さえ思っていた。これらはすでに敬称となっているのだが、「天皇陛下」「皇后陛下」「皇太子さま」「秋篠宮さま」と書かなくては右翼の街宣車がやってくる、と本気でビビっていた。

そんな時代が21世紀に入っても続いていたのだが、我々の世代ほど「反天皇」ないしは「右翼は怖い」という教育を受けていない今の若者はSNSでも自由奔放に思ったことを発信する。それが冒頭の「めっちゃ天皇！」という発言に集約されている。

マスコミの丁寧言葉については「敬意を表する」という意味合いは当然あるものの、「右翼を恐れる」側面が多かったのでは。皇室報道記事を読むと、実に配慮した丁寧な言い回しが多い。とはいっても、この15年ほど、皇室バッシングは案外多かった。「公務にお出ましにならない」と雅子さまを叩き、「愛子さまが登校されない」「眞子さまと小室圭さんの結婚はいかがなものか」などなど多数だ。ただし、天皇・皇后時代の上皇・上皇后両陛下、そして皇太子時代の今上天皇に対するバッシングはほぼなかったと言ってよいだろう。

マスコミは上記のような忖度というか線引きはしていたものの、ＳＮＳを駆使して情報発信をする若者は思ったことを直接的にドーンと言う。２０１６年８月８日、宮内庁は天皇の生前退位を宣言する「象徴としてのお務めについての天皇陛下のおことば」の動画を発表。これらがテレビとネットでも流れたが、この時若い女性と見られる人々がツイッターに多く書いたのは「かわいい」である。

まさかの「天皇陛下くそかわいい」

ツイッターのまとめサイトＴｏｇｅｔｔｅｒには「日本やばい？　天皇陛下に対して『かわいい』の声が集まる↓賛否両論」というまとめが登場。「賛否両論」とはあるが、「否」の声はそこまで強くはない。「かわいい」理由については、穏やかな表情で小柄な天皇が淡々と「おことば」を述べる様が「かわいい」と映ったのと、あとは原稿を読むにあたり、次のページに移る際に指に唾をつけて紙をめくる仕草などが挙げられるだろう。ここでは、同まとめに登場した声を紹介する。

〈天皇陛下かわいい。おじいちゃん好きなんだよね。優しそう。ほわほわしてる〉

〈えっ、天皇陛下くそかわいい〉

〈天皇陛下ふくふくぽってりしててかわいいおじいちゃんなん…休ませてあげたいのん…〉

まさかの「くそかわいい」である。否定的な意見としては〈情けないとしかなぁ……まぁ若者らしいといえばらしい〉と、全面的に否定しているわけではない。

若者の「かわいい」的反応に対しては〈不敬罪とかマジレスしてる人よりはいいと思う〉や〈若い子からすると『なんか偉い人、優しそうでかわいいおじいちゃん』って感じで、悪気も何も無いとは思う〉などと理解を示す声が多かった。私もこれには同意だ。ただし、さすがに自分は上皇のことを「かわいい」とは書かないし、ましてや「くそかわいい」「ふくふくぽってり」などとは恐ろしくて言えない。

現在の炎上は「昔だったら炎上しない」と言われることが多い。それは、ジェンダーにまつわるものや、パワハラ、コンプライアンス、ポリコレ関連の話題に言及した時だ。それこそ１９９０年代後半にツイッターがあったとし、「朝まで働いた！　いやぁ～、一緒に付き合ってくれた洋子ちゃんに感謝。相変わらず色っぽい。朝５時の疲れた顔も悪くない。今から一緒に朝ごはん食べてオフィスに戻る（笑）。今晩は家に帰りたい」なんてセクハラとパワハラとブラック企業自慢が混ざったことを書いていても、スルーされていたかもしれない。

当時は「そういう空気感だった」ということでしかないのだ。何しろ執務室でタバコを吸うのが当たり前だった時代である。同様に、当時天皇のことを「かわいい」や「めっちゃ天皇！」と言える空気はなかった。

昨今の世間の風潮を「重苦しい」「窮屈」などと評することは多いものの、それは過去も同様である。また、「#ＭｅＴｏｏ」（セクハラ被害に声を上げる運動）や「#ＫｕＴｏｏ」（ハイヒールを要求されることに声を上げる運動）についても男性の側から「言いたいことも言えない世の中」的な意見が出ることがある。だが、元々自由に発言をできなかった昭和〜平成15年（２００３年）ぐらいまでの女性からすれば今のこうした発信ができる状態こそより自由かもしれない。

主体にもよるが、人間は常に「窮屈」と感じるものなのである。ただ単に、「窮屈」と感じる題材が時代によって変質してきた、ということではないだろうか。江戸時代の農民は大名に対して「○○様」と言い、大名行列でもあろうものなら道路で土下座をした。だが、今の我々は「徳川綱吉はバカ」と平気で言えるし、徳川吉宗のことを「暴れん坊将軍」

などと呼び娯楽にしてしまっている。これでいいのだ。

東京駅100周年記念Suica騒動

「ヤフオク！」や「メルカリ」など、私物を売ったり、あるいは未開封の貴重な品（ポケモン等のカードやNintendo Switch、ファッションブランドSupremeの限定品等）を転売して儲けることがすっかり一般的になった。

こうした人々は「転売ヤー」と呼ばれ、ネットでは銭ゲバ的な存在として、非難の対象になる。様々な商品が転売ヤーによって高額で転売され、その都度批判されたが、彼らの言い分はこうだ。

「私は深夜から並ぶなどして努力をした。そして、並ぶことができない物理的環境にいる人などからすれば、私が転売したものを適正価格だと納得して買ったのだからWin－Winではないか。何が悪いのかまったく分からない」

まさに正論である。しかし、転売行為はネット上では蛇蝎（だかつ）のごとく嫌われている。2021年7月、模型雑誌『ホビージャパン』の編集者がこうツイートし、炎上した。

〈転売を憎んでいる人たちは、買えなかった欲しいキットが高く売られてるのが面白くないだけだよね？　頑張って買えばいいのでは？　頑張れなくて買えなかったんだから、頑張って買った人からマージンを払って買うのって、普通なのでは〉

〈かつて行われてた模型3割引き販売は普通の店舗には激烈に痛い。あんなことができるのは薄利多売の大型店舗だけ。ＨＧを売って売って売りまくって２００とか３００とか売って粗利数万。しかもそんなに売れるのは主役機だけ。スケールなんてその１／１００ぐらい？　ユーザー優先な状況が必ずしも良いとは限らない〉

〈うーん…転売問題が難しいところは、転売されて困るのが一部のユーザーだけってことで、ものは売れてるからメーカーも小売りも問屋も売り上げがしっかり立つから、業界的には安泰なんですよ。逆にいつも買えて割引ガンガンのかつての状況って、店舗が死ぬので、業界へのダメージもデカいんです〉

〈ん？？　よくわかんない。転売して売れてるから、メーカーは潤ってるんじゃないの？？〉

　これに対し、転売を容認したと捉えられ批判が殺到。結局編集部は謝罪のツイートをし、当該編集者を退職処分にし、常務取締役編集制作局長を譴責の上取締役に降格、編集長を譴責の上副編集長に降格、副編集長を譴責の上デスクに降格させた。

これ以降、ネット上では転売を巡る是非について議論が展開されたが、やはり転売は悪である、といった論の方が優勢だった。

こうした転売行為がとことん憎まれていることが分かったのが、ＪＲ東京駅が２０１４年12月20日に、開業１００周年記念Ｓｕｉｃａを限定1万５０００枚発売した件である。ＪＲ東日本は、一人3枚限定とし、購入者を５０００人と想定していたが、実際は「徹夜行為禁止」を謳っていたにもかかわらず、徹夜組が大量に登場。結果、朝の段階では９０００人以上が押し寄せたのだ。

デポジットの５００円も込みで２０００円。しかも、限定品なだけにこれは転売によって高額の収入を得られることを見込んだ人々が大勢いたのだ。本当に欲しい人は鉄道ファンを中心に全国にいるわけだから、「ヤフオク！」でたとえば５０００円で落札したとしても「交通費かけるよりも安いよね♪」とお得感を得られるはずである。

ＪＲ東日本は、この大混乱により約８０００枚を売った段階で突如販売を中止。となれば、長時間待ち続けても買えなかった人々の怒りは爆発するわけで、駅員に罵声を浴びせたり、東京駅の模型を破壊する狼藉者も登場する事態になった。

この時、炎上を誘発するのが動画を撮影する人の存在である。これが実に炎上過熱に火を注ぐのだ。とにかく乱暴な人々は「約束と違う！」「ＪＲはオレらをバカにしているのか！」と切れまくる。

見事なまでに醜い光景だったため、この日、ネット上ではこの愚行を生暖かくニヤニヤしながら見る人が多かった。当然私もその一人だ。

「小金稼ぎのために朝っぱらから並んでご苦労なこった。この暇人めｗ」といった感覚を抱いたのだ。さらには「いい年したオッサンが限定Ｓｕｉｃａごときで何を激怒しているんだよｗ」とも思った。

そしてこの日からすでにヤフオク！　では転売が開始。数万円の値段をつける者もいたが、こうした出品に対しては愉快犯がガンガン嫌がらせを開始する。落札する気がないくせに各自が連携し合って値段を釣り上げていく。

転売ヤーに対する怒りが炸裂したわけだが、中にはヤフオク！　の上限である99億９９９９万９９９９円をつけ、オークション自体が終了する例も。

結果的にＪＲ東日本は、このトンデモ大騒動を受け、希望者全員にこの時と同様に１枚２０００円で販売することにしたのだ。

あれから６年９ヶ月後の２０２１年９月上旬、ヤフオク！　でこのＳｕｉｃａがどのようになっているのかを見てみた。

３枚セットで７７５０円というのがまずはある。これはかなり強気の価格である。他には、１枚で１９８０円、３枚で６０００円、２枚で１８５８円などがある。その他もあれから約７年、当初価格の２０００円程度で出品されている。

最初の段階で転売での儲けを狙った人間は「応募すれば誰でも買える」という状況になり、大儲けの機会は失われた。そして、あれから６年以上が過ぎた今、「とにかく儲からないでもいいからこの厄介者を処分したい」ということで、今、ヤフオク！　では安値で取引されているのである。

２０００年代中盤に喧伝された「ウェブ２・０」という「ネットが人々をより高みに上げ、社会をよくする」という概念は、完全に瓦解した。ネットは単に、人間の欲望をお手軽に満たすだけの存在だったのである。

結局人間はカネが大好きなのだ。そうしたカネが大好きな人間の一部がよりお手軽にカネを稼げるようにし、大多数の人間からカネをむしり取ることができるようになったのがインターネットというシステムなのだ。

ツイッターが牧歌的だった時代

今や炎上の発端として大きな存在感を示すツールとなったツイッターだが、初期の頃の雰囲気は随分と違っていた。当時の炎上の中心はブログであり、ツイッターは穏やかな空間で、相互扶助の精神があったのだ。今では信じられないが。

ツイッターそのものは２００６年に誕生し、日本でユーザー層がかなり増えたのは２００９年、そして翌２０１０年に大ブレイクした。ここではそんな当時の空気感を振り返ってみる。

初期の頃はＩＴリテラシーの高い男性が日本では使っており、その界隈ではちょっとした話題となっていた。ブログ「百式」で知られる田口元氏が始めたのは２００６年12月、「ネタフル」のコグレマサト氏は２００７年3月、「みたいもん」（現・シン・みたいもん）のいしたにまさき氏も２００７年３月、後に『Ｔｗｉｔｔｅｒ社会論』（洋泉社）を執筆する津田大介氏が２００７年４月で、ブロガーイベントを運営するアジャイル・メディア・ネットワーク社長だった徳力基彦氏は２００７年３月だ。どの本かは覚えていないのだが、ここに登場するどなたかの著書に「ツイッター合宿」をやったことが記されていた。また、これもどの本か覚えておらず恐縮だが「これって時間を奪うツールじゃないか！」と仰天した、との記述もあった。

彼らのツイッターＩＤは@taguchi、@kogure、@masakiishitani、@tsuda、@tokurikiとなっており、「田口・小暮（木暮）・津田・徳力界の開始最速ＩＤ」であることが分かる。@ishitaniは２００８年６月に取られているため、２００７年３月に取得したいしたにまさき氏は敢えて「@苗字だけ」を選ばなかったのだろう。

ちなみに@tanakaは２００７年４月の段階で取れていたが、ユーザーは「あああ」という人物だ。こんなメジャーな苗字でもその段階で取れていたということは、どれだけ当時の日本人ツイッターユーザーが少なかったか、ということが想像できる。あと@shibuyaは２００７年４月にＩＤを取得しており、このユーザーのプロフィールには〈アカウント売ります。希望者はｍｅｎｓｉｏｎで／ｆｏｒ Ｓａｌｅ！ ｐｌｅａｓｅ ｍｅｎｓｉｏｎ.〉とあり、一部のメジャーな名前・地名・言葉は転売目的で買われていたのだろう。

そんないわば「ギークの世界」的状況を変えたのが、勝間和代氏が２００９年７月に歌手の広瀬香美にツイッターのやり方を教え、一気に一般への認知度が高まった時のことだ。ネットにそれほど詳しくない層もこの２人のやり取りを見てツイッターに興味を覚え、これが多数のネットニュースで取り上げられた。そして、９月には浅草キッドの水道橋博士も開始し、芸能人のアーリーアダプターも出始める。

ニセ鳩山由紀夫登場

普及の決定打となったのが民主党政権の誕生で、元電通の「さとなお」こと佐藤尚之氏が鳩山由紀夫首相（当時）にツイッターを勧め、首相が本当に始めたことだ。佐藤氏は２００９年９月29日に〈なぜか鳩山首相とご飯中。居酒屋の小さな座敷。たまに実況できたらします。ついったーも勧めてみる〉とツイート。

これの「いいね」数は１５２件で、当時は多かったものの今の状況からすると「首相と食事」「ツイッター開始も進言する」というド級のネタにしては少ないと言えよう。それだけユーザーの爆発開始前の話なのだ。

こうした状況下、鳩山氏の「ニセモノ」が12月に登場する。「国会でバレずに屁をする方法」などふざけたツイートをし続けた。片山さつき参議院議員などは〈片山さつきです！ぜひフォローしてください！　為政者は色々な意見に耳を傾けるのがご器量！〉と釣られる始末。そんなことから鳩山事務所としても捨ておけず、本当にIDを同月開設する。かくしてニセモノはツイッターから凍結処分を食らったが、その後もニセモノはメディアから取材を受けるなどして、2009年末のネット界で発生した珍事となったのだ。

鳩山氏が初ツイートをしたのは2010年1月だが、すぐにそれまでの日本1位だったガチャピンを抜き去り、日本No.1のフォロワー数を獲得する。同氏が首相を辞任した直後の2010年6月、「INTERNET Watch」の「鳩山首相、Twitterは続投『これからは人間としてつぶやきたい』」という記事には以下の記述がある。

「鳩山首相は、2009年12月にTwitterの利用を表明。2010年1月1日に最初のツイートを投稿し、『慣れるまでは1日1ツイートが目標です』とコメントしていた。

6月3日までの総ツイート数は183で、フォロワー数は3日現在で67万2098人。『Twitter Counter』などの集計によると、日本のユーザーの中で最も多くのフォロワーを集めている」

そして6月23日、「ねとらぼ」には「ガチャピン、鳩山前首相を抜き返す　Twitterフォロワー数日本一に返り咲き」という記事が登場。2009年1月にツイッターを開始したガチャピンを鳩山氏が2010年5月に抜き、鳩山氏が辞任した後にガチャピンが抜き返したという内容だ。

ちなみに2009年10月の「ITmedia　NEWS」の記事では「ガチャピンの3倍・57万人　Twitterフォロワー数日本一『mooooris』さんとは」という記事もあり、大学生・mooooris氏が取材され、なぜフォロワーが多かったのかを答えている。同氏によると「おすすめユーザー」に登録されたため増えたとし、おすすめされる心当たりはないのだそうだ。

２０１０年「つぶやき」革命

何やら新しいネットの息吹を感じるワクワクとした時代だったが、先端的な人々の続々参入、鳩山氏の開始、芸能人の開始、謎の大学生が№1といった話題性からメディアは一気にツイッターに飛びついた。関連書籍は多数登場し、『週刊ダイヤモンド』は2010年1月18日に発売された「2010年ツイッターの旅　140字、1億人の『つぶやき』革命」で大々的にツイッターを特集。表紙は事前に募集していたユーザーのアイコンを並べる斬新なデザインだった。

この号の特集内容が当時の空気感を表しているだろう。以下、アマゾンより抜粋。

＝＝＝＝＝＝＝＝＝＝＝＝＝＝＝＝＝＝＝＝

【Chapter1】ツイッター旋風上陸！

特別対談　ツイッターは流行では終わらない

津田大介×堀江貴文

ｔｗｉｔｔｅｒ　入門編　広瀬香美直伝の「使い方」
Ｃｏｌｕｍｎ　「つながる力倶楽部」の輪
ｔｗｉｔｔｅｒ　中級編　三日坊主にならない「楽しみ方」
Ｃｏｌｕｍｎ　携帯電話とｉＰｈｏｎｅを使って
Ｃｏｌｕｍｎ　鳩山首相の「ニセ者」も登場！
Ｃｏｌｕｍｎ　友人のいない私でも「２０００人とつながった！」
ｔｗｉｔｔｅｒ　上級編　達人・勝間和代の「活かし方」

【Ｃｈａｐｔｅｒ２】「やらずに書けるか！」
Ｃｏｌｕｍｎ　「ツイッター議員」が続々登場！
Ｃｏｌｕｍｎ　ツイッターが引き起こすＩＴサービスの地殻変動
Ｉｎｔｅｒｖｉｅｗ　藤田晋●サイバーエージェント社長

【Ｃｈａｐｔｅｒ３】ツイッターで企業も変わる

Column　書店担当者がつぶやく（得）ツイッター本

２０２１年10月23日現在のツイッターフォロワー数日本一は韓国の音楽グループＢＴＳの日本公式ＩＤで約１１９５万人。２位は元ＺＯＺＯ社長の前澤友作氏で約１０３３万人。ＩＴに詳しい人々のオアシスだったツイッターは２００９年以降、「デマ拡散」「企業の軟式ＩＤブーム」「芸能人続々参戦」「バカッター騒動」「企業の中の人、炎上」「ローマ法王、ツイッター開始」「イデオロギー激突」「トランプ大統領〝指先介入〟」「取材された人物がメディアの失礼な対応を告発」「フェイクニュース・デマ拡散」「緊迫の舞台裏の実況中継」「中国共産党はツイッター禁止」などに加え、前澤氏が「お年玉企画」をするなど様々な事件が起きるとともに、今やなくてはならないツールとなった。

初期の頃はツイッターのことをメディアが報じる際は「ミニブログ」や「マイクロブログ」や「短文投稿サイト」「つぶやきサービス」などと補足をしていたが、今やそんな補足は必要ない。２０１０～２０１１年頃は一般誌も「ツイッターって何？」「どうやって始めるの？」などと特集を組み、レイアウトもツイッターの１４０文字を意識したようなものが多かった。

それこそ「不倫をする人の140文字以内の言い分」といった形で、ツイート画面風の枠の中にその「言い分」が書き込まれていたりしたのだ。今となってはなんとも恥ずかしい。

私自身、ツイッターの爆発的普及と「ネットが当たり前のものになった」時期は同じではないか、と感じている。2010年頃までネットはどこか特別なものだった。しかし、この時期にスマホの普及と相まってデジタルネイティブ世代である現在の若手社会人以下が、「ネットは電気や水道と同じ」的なものと捉えるようになったのだ。

現在の40代以上からすれば「おー！　広瀬香美がツイッターを開始した！　すげー！オレたち（ギーク／オタク）のインターネットに芸能人が入ってきた！」と嬉しさはありつつも若干の悲しさもあるような心の揺らぎがあった。

だが、若者にとっては芸能人がツイッターをやるのは当たり前だし、友達との連絡もツイッターやインスタグラム、ＬＩＮＥを使うのは自然なこと。電話をかけるのはもはや非常識な行為だと思われている。

「ネットは特別なもの」という体験を1990年代後半から2000年代中頃までした中高年にとって、最後の甘美なる「オレたちのインターネット」的空気感が2009〜2010年のツイッターに広がっていた。そこから先、インターネットは完全に「みんなのもの」となり、完全に社会のインフラと化していったのである。

あの頃の熱狂については、本項で紹介した記事で存分に振り返ることができるだろう。件の『週刊ダイヤモンド』も古本をアマゾンで買えるので、当時の貴重な資料として買ってみてもよいかもしれない。

東日本大震災とコロナとネット

こうしてついに一般化したインターネットは「社会」となり、ここで書き込まれる意見が世論を形成するようになった。政治家やメディア、専門家は何かがあるとネットの論調をチェックし、発言や政策に反映させるようになった。この時代の流れについてここでは振り返る。分かりやすい対比が、同様に危機である東日本大震災と新型コロナ騒動だ。

東京都の小池百合子都知事は2020年4月以降、「ステイホーム」を呼びかけ、行動規制を何度も要請した。

そして2021年4月、20時以降の繁華街の「消灯」を求めた。これを受けてネット上では東日本大震災の頃の節電要請を思い出した、と書く人々が多数登場。緊急事態という意味では、2011年と2020年以降の状況は似ているが、その非常事態の象徴たる「消灯」を巡っては人々の意識はまったく違う。

なんというのだろうか、震災の時は「善意」「配慮」の消灯という捉え方をされていたのだが、コロナでは「嘲笑」の消灯、といった雰囲気になった。過度なコロナ対策こそ必要と考える人であっても「さすがに消灯したら防犯上ヤバいのでは」や「戦時中の灯火管制か？」といったツッコミを入れている。まぁ「これくらいやらないと愚民は外に出てくるから必要」という意見もあるが。

震災時は原発が停まったわけで節電をすることには合理性があった。さらに、結果的に死者行方不明者合わせて約2万人になったわけだし、岩手と宮城では津波で家を失う人が続出したし、福島の人々は原発に近い場合は家を出ざるを得なかった。茨城県も全壊2637棟、半壊2万5054棟と大きな被害を受けた。

寒い、密、プライバシーもない、しかも家族を失った末の避難所生活をする人々のことを考えれば東京の節電に伴う消灯など屁でもない――。そんな気持ちで節電には協力したし、消灯も当たり前といった受け止め方をされていた。だが、コロナではさすがに「消灯はやり過ぎじゃね……？」的空気感があった。さて、ここでは東日本大震災をめぐるツイッター上の空気感について振り返ってみる。

「拡散希望」でデマ広がる

この頃、先に述べたように、ツイッターを開始する人が激増した。大震災の発生直後から電話がつながらなくなったが、ツイッターは無事に使えた。こうしたことから「災害に強いツイッター」というのが定説となり、コミュニケーションに加えて情報収集、発信の面で脚光を浴びたのだ。コロナにおいては「分断」がキーワードになっているが、東日本大震災ではその年の『24時間テレビ』（日本テレビ系）のテーマと日本漢字能力検定協会による「今年の漢字」が「絆」だったこともあり、「寄り添い」「繫がり」といったところがキーワードだった（もちろん偽善がほとんどだったが）。表面上、コロナ騒動とは正反対だったのである。何が起こったか見てみよう。

①【拡散希望】の多発

災害時にはデマが登場するのは世の常。この時は、千葉県のコスモ石油のガスタンクが火災被害に遭ったが「有害物質が含まれた雨が降る」というメールでの注意喚起が登場。これがチェーンメールとして次々と送られ、ツイッターにも伝播した。こうしたデマでは「知り合いの知り合いが関係者」といった前置きがつく。誰もが「直接の当事者」の名前を出さないのだ。「○○社に勤める××さんがこう言っていた」ではないのだ。そして、コロナにおいては信頼感を増すため「医療関係の知り合いから聞いたと母が言っていましたが」といったパターンも典型例である。

この時は【拡散希望】という【 】つきの強調言葉が頻出した。パターンとしては、「とあるエリアでヤバいこと（窃盗団など）が発生したから注意を促す」「特定避難所で特定物資が足りないため送ってくださいと依頼する」「放射線に対して○○は効果があるから、○○を用意した方がいい」といったところだ。

これらはいずれも善意の呼びかけなのだ。だが、結局デマが多過ぎたのである。コロナ騒動でもトイレットペーパーが足りなくなる、ということが【拡散希望】扱いになったが、デマは拡散してはいけない。さらに「特定物資が足りない」と【拡散希望】を出すと、全国からその避難所に届き過ぎて邪魔になってしまう。キチンと自治体等が救援物資の分配はしているのだが、それを完全にぶっ壊してしまうのが善意の【拡散希望】ツイッターユーザーだったのだ。

②「食べて応援」の登場

「放射線に汚染されているのでは……」といった風評被害を受けていた福島県産の桃などを「食べて応援」とツイッターで宣言する人が続出した。これについては素晴らしい動きだとは思うものの、当時の私はこの発言をする人々を「上から目線」と感じたのは事実である。

普通に「福島産の桃が届いた！　マジうめー！！！」とだけツイートすればいいのに、いちいち「食べて応援」と書くのである。この「食べて応援」という言葉については、④の「絆」という言葉の定着にもつながるのではないだろうか。

「不謹慎厨」の発生

③「不謹慎厨（ふきんしんちゅう）」の発生

被災地で苦しい思いをしている人に思いを馳せるのはうるわしいことではあるが、楽しい思いをしている人のことを「不謹慎です！」と糾弾するのはいかがなものか。プロデューサーのおちまさと氏は2011年3月14日に「BLOGOS」に「【特別寄稿】おちまさと『不謹慎』とは何か。」という原稿を寄稿した。大地震からわずか3日後に「果たしてどこまでが『不謹慎』なのだろうか。東京でバリバリ仕事をしていること　費用対効果があるので車で移動すること　御飯を食べること　こうしてPCでブログを書くこと　など何をするにおいても何か目には見えない『不謹慎の地雷』」とまで書いている。

「不謹慎厨」の定義は「ニコニコ大百科」では以下のようになっている。

〈不謹慎厨とは、なんらかの悲劇が起きた時、全くの無関係のものまで道徳や被害者感情を害すると非難し、自粛を求める人である〉

まぁ、「他人を批判するよりお前が幸せに生きろ」としか思えないが、おち氏は、なんらかのツイートをしたことに対し「不謹慎です！」と糾弾されたのだろう。これにジャーナリストの佐々木俊尚氏も呼応。このようにツイッターに連投した。

〈さっきの猫のツイートでまた狂ったように「不謹慎だ」とかDMしてきたりリプライしてくる人がいる。あーあ〉

〈「恥を知れ」とかさ、いったい何様なんだろ〉

〈まあ私は今後も不謹慎なことを言い続けます。これから青山に出かけてブラブラ散歩して、そのあと西麻布でイタリアンだ！　いいワインをあけよう！〉

〈西麻布のヴィノーブルで不謹慎なディナーを楽しんでいます。とても素敵ないいお店〉（ここでは高級ワインの写真を公開）

〈不謹慎ディナー宣言！〉

〈物凄い非難の嵐が不謹慎ディナー宣言に。まあ気にしないことにしよう。生きてる世界観が違うのだろう〉

この時に登場した「不謹慎厨」はその後も災害の度に登場し、2016年の熊本地震の際は、インスタグラムに笑顔の写真を投稿した芸能人らが「不謹慎です！」と叩かれた。

そして続いてはこれだ。

④気持ちの悪い「絆」ブーム

2011年の日本漢字能力検定協会による「今年の漢字」は「絆」になった。「絆」は散々メディアが震災以降提唱した言葉だったが、まさかのこの年を表す言葉になったとは……。「絆」なんてものはなかったと思う。結局「与える側」が千羽鶴を被災地に送り自己満足を得ただけだったりもした。

そして、静岡以西では正直東日本大震災のヤバさについてはあまり感じていなかったのではないだろうか。私はあまりにも陰鬱でネオンもない暗い東京がとことんイヤになってしまい、5月に入ってから大阪へ行った。

「大阪はどうでしたか？」と聞いたら「阪神大震災の時は大変やったけど、今回はあまりヤバくない」という答えだった。そして「中川さん、なんで今回大阪来たの？」と言われ「あまりにも東京のドヨーンとした空気から逃れたくて来た」と言ったら「まぁ、今日・明日と楽しんでね」と言われた。

この様子を見るに「絆」は全国的なものではなかったと思う。あくまでも帰宅難民などを経験した東京のメディアが「今こそ絆が大事です」と言い続け、それが全国に伝わったことが「絆」の受賞に繋がったのではないか。

大阪の人々の反応はまったくおかしくない。2016年の熊本地震の時、首都圏の人間はどれだけ熊本に「絆」を寄せたか？　ほぼないだろう。自分が関係したから東日本大震災では「絆」を重視し、その後の西日本豪雨も含めた数々の自然災害については「絆」を言わない。

この時に私は東京のメディアの欺瞞を感じたし、今、コロナにおいて東京の状況を基に全国に自粛を求める空気を作ったことに対しても「あのよぉ、発信力あるからってお前らのケースを地方に当てはめるんじゃねーよ」と思う次第である。

⑤デマ蔓延(まんえん)

1986年のチェルノブイリの原発事故の後、子供たちの甲状腺がんが続出したという。そうしたことから、福島でも同様に子供たちの甲状腺がんのケースが頻出した、というツイートが拡散した。

だが、これは完全にデマである。しかし、このデマを信じて多くの人が関西以西に引っ越しをした。福島県民からしたらたまったものではないが、これがデマの恐ろしさだし、このデマを信じた人間からすれば「福島にとどまることさえヤバい」と考えることだろう。「放射線は風に乗って首都圏にもやってくる」という説を述べる者もいたため、首都圏を脱出する者も多くいた。

で、あれから10年、東京はコロナを除いては平穏ではないか。当時、テレビ番組はしきりと放射線量をガイガーカウンターで測定し「やばいです！」とやり、東京の放射線量の多さを報じた。だが、放射線は地球の至るところで存在するわけだ。

非科学的なデマをネットもメディアもまき散らかし愚民を洗脳した。コロナに右往左往する今、結局「情報」というものが世の中を支配するのだと感じ入る次第である。平成から令和に移ってもまったく人は進歩していない。

中国をバカにしていたが今や完敗

東日本大震災時のネットとコロナ下のネットの比較をし、その落差を見てきたが、他にも完全に論調が変わったものがある。２０１０年頃まで中国という存在はネットでは嘲笑の対象であることが多かった。テレビ番組が面白おかしく「パクリ遊園地」のかわいくないミッキーマウス風キャラを紹介するなど、基本的には「非常識」「遅れてる」「パクることしかできない」といったイメージだったのである。

2010年の上海万博のテーマソングは完全に岡本真夜の『そのままの君でいて』のメロディをパクったものだった。結局この歌は撤回されたが、この頃までのネットの論調は中国を見下していた。しかし2021年9月、「上海で18歳以上のワクチン接種率が77・6%」という報道が出たら「効かないワクチンはただの塩水」や「でも中華製ワクチンなんでしょう?」といった書き込みはあるものの「もはや日本が中国に勝てる点が一つもない」といった意見も随分と増えてきた。

そうなのである。今や世界の時価総額の高い企業は中国発が多い。宇宙開発も進んでいるし、電子マネーを含めたデジタル化も進展している。世界での存在感も含め、日本は中国に完敗である。もしも自衛隊が人民解放軍と戦争をしたら「勝てる」という論が2010年頃までは強かったが、今やそんな論を述べたら鼻で笑われてしまう。

ここしばらくの中国への「負けた……」意識の高まりは、来日中国人の「爆買い」等で経済力を日本人に見せつけられたことも影響しているだろう。海外旅行に行く財力があり、しかも次々と大量に商品を買っていく。

初期のこうした報道に対しては「品がない」といった感想がセットになっていたこともあり、銀座の街で排泄行為をする子どもの様子なども報じられた。民度の低い人々が小金を手に入れて舞い上がっている、やはり日本製品はすごいのである！　こんな論調だった。

しかし、もはやコロナが始まった頃には、インバウンド需要における中国人という存在のありがたさについて言及する流れになっていた。当然5ちゃんねる等では従来型の中国への批判も出てきたが「もうオレらは勝てない」といった意識も強くなっていった。その象徴は「日本には四季があり、水道も安全」という言葉である。

もはやハイテクでも勝てず、経済もボロボロな少子高齢化国家の日本、もう四季と水道ぐらいしか誇るべきものがなくなった、という自虐的な揶揄である。

チャイナボカンシリーズ

さて、2000年代中盤の頃を振り返ってみる。私はもうネットのニュース記事の編集を開始していたが、中国在住ライターが次々とヘンテコリンな記事を送ってきた。ハンバーガーとチキンを食べることができるマクドナルドとKFCをパクった「マクタッキー（麦肯基）」というファストフードのチェーン店があることなどを報じた。

さらには「チャイナボカンシリーズ」という言葉も登場。これは、アニメ『タイムボカン』シリーズにかけた言葉で、「中国では色々なものがやたらと爆発する」ということからつけられた。これらはまとめられているので、振り返ってみよう。2021年の5ちゃんねるのスレッドタイトルをまずは紹介する。

【チャイナボカン】巨大な火の玉が！　中国で電池リサイクル施設が大爆発（動画あり）

【チャイナボカン】タンクローリー爆発　19人死亡　下敷きに？　捜索続く　中国　画像あり

【チャイナボカン】香港の病院で、司祭の爆弾の爆発…負傷者はない

かつてよりも勢いは減っている。2000年代中盤はもっとたくさんチャイナボカンは存在していた。そして「ニコニコ大百科」ではこの言葉について以下のように説明されて

いる。
「中国の国技である。よく爆発する。ありえないものまで爆発する。「如月隼人」と言うサーチナの中国爆発専門の記者が存在している。このシリーズが人気あるのか「爆発の友の会」というものも存在している」（※サーチナとは中国を中心とした東アジアの情報を提供するサイト）
また、「まあ世界的にもままあること」「珍しいが理解できなくはない」「どうしてこうなった」「もはや何がなんだか」の4段階に分かれている。
【まあ世界的にもままあること】爆竹工場・石油工場・タクシー
【珍しいが理解できなくはない】肥溜め・タイヤ・圧力鍋・発熱材付きの弁当・コンドーム自販機・乳飲料
【どうしてこうなった】偽iPod・豆乳製造機・マンホール・電球・いとこ・水槽・下水
【もはや何がなんだか】飛び降り自殺中のおっさん・肛門・おっぱい・小川・豆板醤・スイカ

この「爆発」には「客の不満（爆発）」や「ポルシェ人気（爆発）」なども含まれるが、基本的には製品の雑さや品質管理等への安全性への配慮が足りないことが嘲笑の対象になっている。これらが登場した時、特に話題になったのが「いとこ」「小川」「豆板醤」「スイカ」である。

特に「いとこ」が理解不能だが、2012年1月23日の新華社電が報じた記事がそのべースになっている。湖南省漣源市郊外の村で、いとこの家に来た男が体に巻きつけた爆発物を爆発させた事件だ。これにより、この男といとこを含む5人が死亡し、6人がケガを負った。

自爆テロを仕掛けたようなものだが、中国でこうしたことが起きると「チャイナボカン」にされてしまう。

こうした扱いだった中国がGDPで日本を超えて世界2位に躍り出た。その時は「中国は日本の10倍の人口がいるからそれは当たり前」という論が支配的に。しかし、日本では賃金がこの30年上がっていない。経済成長率も鈍化し、コロナで決定的なダメージを受けた。最近の中国では昔ほど爆発関連の報道はなくなっているが、性能が良くなってきているのだろう。

２０２０年度の日本の税収は過去最高の60・８兆円になる見込みと２０２１年6月30日に発表された。経済成長率が低下したものの、法人税収や消費税収が当初見積もりを大幅に上回ったのだという。「巣ごもり需要」が多かったそうだ。こうしたニュースを見ると日本人もまだまだ購買力はあるように感じられるが、アメリカや欧州の先進国に行くと今は明らかに価格が高いと感じられる。なにしろ、ランチをレストランで食べると一人４５００円ほどは当たり前なのだ。

それだけ海外の物価が値上がりしている時代のため、賃金が上がらない日本人は海外旅行に生きづらくなっている。ロンドンに住む友人は「オレは日本では給料が高い方だけど、こちらでは中の下みたいなもの。イギリス人が平気で買うことができるコーヒーでさえ買うのに躊躇する」と言っていた。

中国のことをバカにすることがネットでは日常茶飯事だった時代からすれば、随分遠くへ来たものだ。

メディアの「若者の○○離れ」に反発

中国については、散々バカにした後、2021年現在、「すごい国だ！」的論調になっている。だが、手のひら返しが凄すぎないか？　ネット時代になってから顕著になったのが「マスコミ不信」である。昨今の記者会見では、バカな質問をする記者が炎上するのが定番となっているが、「偏向報道」という言葉が今ほど言われる時代はないのでは。

戦時中の報道の方がよっぽど偏向報道だったが、こちらは「大本営発表を垂れ流し」という呼ばれ方をされる。コロナ報道でも「コロナはヤバ過ぎるウイルスです」「マスクをしない人間は非国民」的偏向報道はあった。もう、どうしようもない。この「偏向報道」という言葉だが、本当に偏向しているかはさておき「オレの読みたい論調ではない」場合にこの言葉が使われる。

ネトウヨによる2011年のフジテレビデモや、2012年の紅白歌合戦デモ、2013年の朝日新聞・小学館・TBS同日デモも「韓国を過度に優遇する偏向した売国マスゴミ」に対するものだった。その「マスゴミ」の象徴的な現象である「若者の○○離れ」について追っていこう。

「若者の○○離れ」、この言葉は、実はロスジェネの悲鳴にも近いニュアンスが籠った言葉だったのだ。そしていつしか諦観に変わっていった。そんな歴史を振り返ってみよう。この言葉の意味については、ネット上の百科辞典「ニコニコ大百科（仮）」の「若者の○○離れ」の解説が分かりやすい。

「若者の○○離れとは、マスメディアが作り出した言葉であり、○○に食品から思考までありとあらゆる言葉が当てはめられる、ある意味便利な言葉である。若者の離れと言われる原因は、近づくものがないというのが主因である。すなわち、若者のポケベル離れ、レコード離れ、オート三輪離れなどとは言われないように、最初から近づいていないことが問題なのではなく、代替とするものすらなく、すべてから遠ざかっているように見えることである」

「この言葉の最大の問題は、若者自身が最初から近寄っていない（興

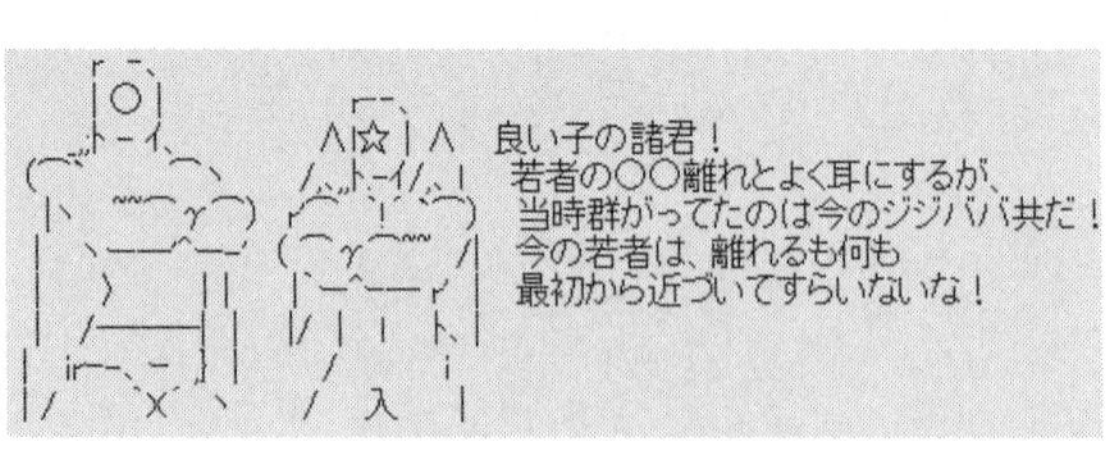

味を持っていない）物に対して○○離れと呼称している点である。これは単なるミスリードでしかなく、若者にとってはいい迷惑である」

若者の「交通事故」離れ

ここでは、「若者の○○離れ」はメディアが作った、としているが、あまりにも「若者の消費が減った」という記事が出るたびに、2ちゃんねるを含めた掲示板やSNSのユーザーが「また来たよ、若者の○○離れ」とばかりに、スレッドのタイトルやツイートにこの言葉を入れるようになった。いくつか2ちゃんねるのスレッドのタイトルを見てみよう。

「〝若者、お風呂離れ？〟10〜30代の過半数が『入浴時に湯船に入らない』…理由は『湯船に浸かっている時間が暇』」（2009年11月27日）

「『食べにくい』『調理が面倒』…若者の『魚離れ』が指摘される」（2010年2月20日）

「【社会】男性ブラジャー製造者破産で『若者のメンズブラ離れ』の声」（2010年2月23日）

「若者のキャバクラ離れが深刻」（2018年5月27日）

こうした状況なだけに、「運転も『草食系』？　飛ばさぬ若者、事故激減」（2010年2

月9日「日経QUICK」）という記事については「若者の『交通事故離れ』が深刻化」とのタイトルでこの記事を紹介するブログも登場した。明らかに拡大解釈だし、「いいことじゃん！」という話題ではあるが、メディアに対して皮肉を言いたくなった気持ちは理解できる。

この言葉が頻出した2009〜2010年頃、若者はロスジェネ世代以降の人々で、給料はバブル世代と比べて圧倒的に少なかった。だからこそ、「離れるも何も、元々買えていなかったし、今も買えないんだよ！」となり、さらには「なんで景気の低迷をオレら若者に押し付けるんだ、このクソメディアめ！」ということになったのだ。

当初は「若年層の消費が下がっている」という記事が出たら面白がって2ちゃんねるのスレッドに「若者のかまぼこ離れ」や「若者の寿司にわさび離れ」などとつけていたのだが、ある時から「なにコレ？　オレら若年層が消費低迷の元凶扱いされてるの……？」という絶望に変わったと見ている。

この「若者の○○離れ」記事については最近でも相変わらずよく読まれており、今年に入っても私が関わるサイトでも「若者の合コン離れ」と「若者のストッキング離れ」は非常に多数読まれた。

勝手に消費低迷の元凶にするな

そうした状況にあるが、若者の「勝手にオレらを消費低迷の元凶にするな！」との嘆きについて理解が促進され、前出の「ニコニコ大百科（仮）」の指摘が正しいと思わされる記事があった。日刊工業新聞2018年1月11日の電子版「若者はもっと海外旅行を！観光庁が促進策を検討」という記事にはこんな記述がある。

「1996年の日本人の出国者数は1669万人で、うち20代は463万人。2016年は全体が1712万人とほぼ横ばいだが、20代は39％減の282万人だった。主な減少理由として、若者がショッピングセンターや温浴施設など近場で休日を過ごす傾向にあることや、スマートフォンのゲームなど室内での趣味が増えたことなどが考えられる」

これに対し、私はツイッターで異議を連投した。

〈1996年の出国者数は1669万人で20代は463万人。2016年は全体が1712万人だが、20代は39％減の282万←アホ、67－76年生まれが1953万人、87－96は

１２３８万人で行く割合はほぼ同じ。何でもスマホのせいにするな〉
〈これについては、上記の記述を基に、１９９６年に20代になった１９６７年~１９７６年生まれの人数と、２０１６年に20代になった１９７７年~１９８６年生まれの人口を比較した。この比較を見ると、以下のようになる。
１９９６年に海外旅行に行った20代の割合：23・７％
２０１６年に海外旅行に行った20代の割合：22・８％〉
〈これを見ると大した差ではないのだ。「若者」の人数が減り、金持ちの中高年が積極的に海外に行っているだけなのにこうした分析をした観光庁はアホだし、彼らの主張に疑問を抱かなかった日刊工業新聞もアホである〉
　これを受け、私は補足のツイートをした。
〈主な減少理由として若者がショッピングセンターや温浴施設など近場で休日を過ごす傾向にあることやスマートフォンのゲームなど室内…↑アホ、オレらが20代の時も温泉、ＳＣ、ＰＳあったわ。適当なマイルドヤンキー論ぶちかますな〉
　ここで言うところのＳＣとは「ショッピングセンター」で、ＰＳは「プレイステーション」のことだ。観光庁の分析は、そもそもの20代人口の減少を踏まえていなかったし、さらに理由についても1996年に20代だった我々世代が当時何をやっていたかも踏まえていない分析だ。

このデータ自体への疑義は私も含めて多くの人間がツイッターで言及したが、この記事を読んだ人の多くは、「若者はお金がないから海外旅行に行けないのでは」とも書いた。その通りである。記事に登場する1996年の1年前の1995年は1ドル＝79円になるなど、極端な円高で海外旅行がしやすかったのは私も覚えている。

だからこそ、1ドル＝108円程度の2016年に若者の海外旅行人数が少ないのは理解している。給料も減り、円が弱いにもかかわらず、20年で20代の海外旅行比率が1・1％しか減らなかったのは決して「若者の海外旅行離れ」ではない。

昨今、様々なメディアがPV稼ぎとシェア稼ぎのために「若者の○○離れ」記事を出しているのはよく分かる。自分でやっていて言うのもなんだが、こうした記事を出すにしても、消費から離れざるを得なかった若者の置かれた状況にはキチンと理解する必要があるだろう。

何しろ、若者からすれば、自社や自業界の不振を高齢者ほどは恵まれていない自分たちのせいにされていることほど腹立たしいことはないからだ。ネットは完全に世代間の対立を生み出し、それは既得権益層や「逃げ切り層」への怨嗟をもたらす。ネットに蔓延する「若者の○○離れ」の裏にはこのような悲痛な生活の実態が存在するのである。

ネット炎上のルーツ「嫌儲」とは

他人の儲けている様はネットで容易に見られるようになったが、それはさらなる怨嗟を生むことになる。2019年から2020年にかけてツイッターに投稿された4コマ漫画『100日後に死ぬワニ』が大きな感動と話題を呼んだが、100日後に実際死んだ後「電通案件」なのでは？　という疑惑が取沙汰され、炎上状態となった。端的に言えば、「お前ら儲けるためにやっていたのかよ」「出来レースかよ」「オレらを騙しやがって」「感動を返せボケ」ということだ。

ネット最大級の嫌われ企業である電通の関与を疑う向きもあり、作者と関連の歌を作ったミュージシャンが釈明する事態となった。これについては「転職9回成功男」と私が呼んでいる熊村剛輔氏が「東洋経済オンライン」に寄稿した文章に100％同意する。

「『100日後に死ぬワニ』最終回が猛批判された訳　今後『SNSによる作家活動』難しくなる危険も」という記事では、こう同氏は分析した。それは、100日が経過した後、矢継ぎ早に様々な企画が展開され、プロモーションが開始したのを受けてである。

〈最終回終了直後、矢継ぎ早の告知に至ったのもうなずける。だが、作品のテーマを考えた際に、その〝余韻〟として残すべき時間、つまり読者が、そのテーマを自分なりに受け止めるために必要だった時間の感覚を、少しだけ見誤ってしまったのかもしれない。

それは、作品そのものを構成する、その中心となる文脈に「死」、さらには、そこから導き出される「感動」というものが含まれていたからだと考えられる。

仮に『ロミオとジュリエット』の舞台で、二人が自らの命を絶ち、悲劇が幕を閉じた直後、カーテンコールを待たずして劇場が明るくなり、突然監督が舞台に現れ、この舞台を収録したDVDの宣伝をし始めたとしたら――。それに似たような感覚を、あの矢継ぎ早の告知は与えてしまったと言えるだろう。

ワニは、そのタイトル通り100日目で死んだが、ワニに対して愛着を持ち、感情移入

をした読者にとって、ワニは100日目の時点では、まだ死んでいなかったのだ〉

ネットで儲けることへの嫌悪感

騒動の分析はすべて熊村氏の「商売っ気を出すのがあまりにも性急過ぎた」を含む数々の意見に従うが、ここでは、ネットの「嫌儲」の歴史について振り返っておきたい。この言葉は「けんちょ」や「けんもう」と読み、ネットを使って儲けることへの嫌悪感を意味する。

ただ、ネットを使って儲けたといっても、2010年、窮状に喘ぐネパールカレーの店主が知り合いにメールを送り、それを代理ツイートしてもらった件などは応援され、称賛される。

「いま ふた くみ おきやくさん います おんな ひと 30 と 40 だいです だけど ランチは だめでした」「ごめんなさい きようも おきやきさん きませんでした やられたね」などに加え、チラシを500枚作ったことなどを報告すると「この店で食べよう！」となる。

今回のコロナ騒動でも、「中国人は出て行け」などと書かれた脅迫文を送られた横浜中華街の店がこれをツイッターで紹介すると店には「応援しよう！」とばかりに行列ができる。これは「体を使って必死に稼ぐ人が苦境に追い込まれているし、外国から来て色々立場も弱いだろうに頑張っている。こんな人はもっと幸せになってほしい！」ということである。

あまり儲かっていなそうな飲食店やアルバイトなどは苦境の時に支援される。一方、マスコミに顕著なのだが、「チャラチャラとした人脈を見せつけ、それでいて楽しそうでカネを大量に稼ぐマスゴミの連中は苦しめ」的な空気感はネット初期から常に存在する。

ネットで儲ける初期の話については、２００４年の「電車男」が挙げられるだろう。２ちゃんねるの書き込みが元になったストーリーで、書籍化、ドラマ化、映画化。書籍は１００万部超売れる大ベストセラーとなったが、印税をめぐってはスレッドに書き込んだ人間の中には少なからず「オレにも印税よこせ」的な人もいた。

だが、「オレたちのインターネットがこうして日の目を見た」的な喜びもあり、まだ「嫌儲」的な空気は今ほどは多くなかった。だがそれ以降、ネットで儲けることについては反発が増えている。

私は２００５年の流行語大賞のトップ10を「ブログ」で受賞したブログ「実録鬼嫁日記」

の書籍を編集したが、書籍化の時は少なからず反発があったことを思い出す。「あくまでもブログで無料で読めるから良かったのに」「著者を出版社が利用している」「著者はそれで印税をガッポガッポ稼ごうとしているのだろう」といった見られ方をしたのだ。その後同作はドラマ化、パチスロ化などしたが、この時になると著者も「儲け主義野郎」的に叩かれるようになっていった。

一般人のブログが書籍化され、書籍が出版されると当初は歓迎の声が上がるも、「私たちから離れて華やかなマスコミの世界に行ったんですね」的な批判も出たし、芸能人のブログが書籍化されてもこれまた叩かれた。

それ以前の2004年には「泣ける2ちゃんねる」が書籍化されたが、この時は「電車男」同様、そこまで批判はされていなかった。ネットのカルチャーがリアルに波及したことを喜ぶ向きもあった。

だが、「電車男」や「鬼嫁日記」を経た2005年末、IT系雑誌『ネットランナー』の企画である「ベスト・オブ・常習者サイト」で2ちゃんねるまとめサイト「ニュー速VIPブログ」が大賞を受賞し、賞金60万円を獲得。さらには、2ちゃんねるまとめサイト管理人による座談会でまとめサイト管理人が2ちゃんねるユーザーをバカにするような発言をしたことから、ユーザーが反発。この時「嫌儲」の風潮が決定的になったと言えよう。

あとは乱立する2ちゃんねるまとめサイトに対し、有力サイトを名指しして使用禁止を運営が2012年に通告。この時は、強硬な措置を取った2ちゃんねるの運営が称賛された。

2011年、ネットに存在する面白写真やツイートを基にして作ったテレビ演出などを行う片岡K氏の著書『ジワジワ来る○○』は10万部を超えるヒットとなり、「ジワジワ来る」シリーズは5冊出版され、最初の作品は文庫化もされた。2020年、同氏は新型コロナウイルス騒動によるフリーランスへの休業補償が4100円であることについてツイートして大いに批判されたほか、この「ジワジワ来る」で元ネタの人々を尊重せず自分がカネをもらったことを再び取沙汰され叩かれた。同氏のツイートは以下の通り。

〈フリーランスに1日4100円の休業補償ってニュースに「ふざけんなもっと出せ」とか「フリーナメんな」なんて怒ってる人がいたけどさ。ボクたちフリーは自由や成功報酬を求めて自己責任でフリーになったワケでしょ。政府に補償を求めるようなヤワな人間は

会社員やってなさい。それこそフリーナメんな〉

同氏の言い分については、売れているフリーならば完全に同意できるものではあるが、「自己責任論」の最たるものである。これに反発を覚える人々から「ジワジワ来る」シリーズの剽窃疑惑が再び取沙汰され、同氏は数々のバッシングを受けた。まぁ、ご本人は売れっ子だし、支持者が多いだけにそれほど気にしていないだろうが。

他にもオンラインサロン運営者が、たいして内容がない情報を出して一攫千金を狙う情弱のバカをカモにしたり、転売ヤーの跳梁跋扈、ステマ横行、トレンドブログ（カネ儲けクソブログ）の隆盛など、ネット上で他人を利用してカネ儲けをしようとする連中に対しては容赦のない批判が寄せられた。

「ワニ」騒動はこうした「嫌儲」の集大成的なものである。ＰＲというものはすべて「世間の風を読む」を考慮しなくてはいけないものなのである。

せめて、「ワニ」のファンになってくれた人々が余韻に浸れるレベルの段階で一連の商品化を発表しても良かったのでは。「興醒め」「出来レース」「広告代理店の暗躍」こそネットでは絶対にやってはいけないことなのだ。そういった意味では「四十九日」に同様の発表をした方が良かったのでは、と思う。

クリスマス粉砕デモ

かくしてネットで発言をすることにより死屍累々となる現状を伝えてきたが、基本的にはネットでは目立ち過ぎると叩かれるのである。そしてレッテルを貼られ、アンチからボコボコに叩かれる。

なぜ人は他人に「ラベル」を貼るのだろうか。自分が子どもの頃聞いてきたものは多数ある。「ガリ勉」「根暗」「オタク」「ハンサム」「ブ男」「ド近眼」「ガリガリ」「豚」「デブ」「メガネ」「オールドミス」（独身女）などなど。そして、小学生では、学年でもっとも早く陰毛が生えた男子生徒は「チン毛」と呼ばれるのが定番だった。その後、全員に陰毛が生えるにもかかわらず、である。

ネット時代になってからよく言われるようになったのが「リア充」「非リア」「非モテ」「陰キャ」「陽キャ」「ぼっち」である。要するに、人気者か不人気か、活発か否かということが、重要視されているのである。だからこそ「便所飯」という言葉が生まれた。

大学生がキャンパス内で昼飯を食べるにあたり、友達がいないため便所で「ぼっち飯」をすることを意味する。これについては「都市伝説である」という意見はあったものの、私が当時雇っていた大学生のライターは「ぼっち飯は都市伝説ではない！　〇〇大学キャンパスの便所個室からコンビニ弁当発見 本人直撃」という記事を書いてきたこともある。

「クリスマス粉砕デモ」や「バレンタインデー粉砕デモ」を行ってきた革命的非モテ同盟は、毎度「リア充爆発しろ！」と主張してきた。同団体もネットでの情報発信を武器に参加者を増やしてきただけに、2007年の第一回デモにあたっても当時のネットの空気感をよく表した主張と言えよう。ちなみに2020年もクリスマス粉砕デモは行っている。

1990年代後半から2000年代前半のネットは「オタク」「非リア」が多く使っていた。いや、実際は違うのかもしれないが、2ちゃんねるや「はてな」「ニコ動」界隈ではそうした人間のように振る舞うことがあたかも作法のようになっていた。私も当時なんらかのコミュニティのオフ会に参加したことはあるが、リア充的な人も少なからずいた。そのため、「ネットヘビーユーザー＝非リア」というわけではないことは分かっていたものの、少なくともネット上では非リアを演じることが共感される空気感は避けられない。

リア充コンプレックスの加速化

その後、「前略プロフ」など中高生が積極的なコミュニケーションのためにネットを活用し始め、さらには当初ギークのたまり場だったツイッターにも芸能人の参戦とともに一般層が大量に入ってくる。ネットユーザーはリア充と非リアが混在する状況になっていったが、リア充コンプレックスは加速化していった。

理由は、リア充の皆様が次々とネットで自身の華やかな生活を公開し、各種SNSでは多くの人と交流している様を見せつける。2021年春に話題となった音声SNSのClubhouseでは、著名人同士がRoomを立ち上げ、そこに意識の高い人々が聴衆として参加し、これまたリア充同士の交流を見ることができる。

ここからが本題になるのだが、なぜ人は「非リア」であることに対してここまで自虐的にならなくてはいけなかったのだろうか。「無職」の別称である「自宅警備員」という言葉はその最たるもので、冗談めかしてはいるものの、やはり非リアはリア充よりも劣っている、といった思想が込められている。

根底には小さな頃聞いた「友達１００人できるかな♪」という歌が影響しているのではなかろうか。とにかく友達は多ければ多いほど良い、という考えにより、友達が少ない人間は小さな頃から劣等感を抱いていた。そんな中出会ったのがインターネットである。

ちょっとちょっと、コレ、顔を合わせないでもつながれるじゃない！　しかも、ここに集っている人々、決して昔から友達が多かった人でもなさそう。いいね、この一体感！

こうしたところから生まれたのが2ちゃんねる発の「電車男」である。2ちゃんねるでは「吉野家オフ」や「テレビが海岸掃除をする企画を開始する前に我々で掃除してしまおうぜ」など、特に現場で積極的にコミュニケーションを取るまではないものの、丁度よい距離感の関係性を保つムーブメントが時々発生した。

そこに大量にやってきたのがリア充の皆様である。外来魚に穏やかな湖を荒らされたように感じた彼らは「リア充爆発しろ！」と吠え、ネット上で自虐合戦を展開する。

非リアでもいいじゃないか

これがネットの風景の一部だったわけだが、ここからは「非リアでもいいじゃないか」

という話に移っていきたい。というのも、私自身、学生時代は非リアだったと思う。時々飲みに行くことはあったものの、そこまで熱心にサークル活動をやるわけでもなければ、恋人もいなかった。途中からプロレス研究会に入り、若干リア充への道を歩むも、所詮は男だらけでしかも学内では蔑みの目で見られる集団だった。そりゃそうだ。下品なリングネームと下品な実況・ネタのオンパレードの我々が敬遠されるのは当然である。ちなみに私のリングネームは「スカトロング山田」で千葉商科大学准教授の常見陽平氏は「ピンクロータリオ」や「ブルセラ大帝レオ」、「えまにゅえる常見」というリングネームを当時の会長からつけられた。本人はイヤだったのだろう、会長になった後はタレントのうじきつよしに似ている、ということで「うじきよわし」という上品な名前に自ら変更した。

そして私がリア充になったのは2002年頃からだと思う。1997年に博報堂というリア充の巣窟のような会社に入ったのだが、私はキラキラした彼らの中ではまったく目立たず「オタク」といった扱いを受けていた。しかし、2002年から雑誌『テレビブロス』の編集者としての仕事を本格化させてからは会う人が増え、ついに28歳にしてリア充人生を送るようになったのである。

以後、知り合いは増え続け、２０２０年8月31日のセミリタイアまでは昨年の自粛期間を除き、毎晩飲み歩くようなリア充生活に入った。だが、このリア充生活については「もう充分かな……」と思うようになった。

現在佐賀県唐津市に住んでいるが、飲む機会は月に3～4回、日常的に出かけるのはスーパーへ行く時ぐらいである。妻と2人、これで満足した人間関係を過ごせている。思えば私も28歳まで非リアだっただけに、その反動からリア充街道まっしぐらとなったのだが、18年間その生活をしたら「人間関係は広げ過ぎないでもいいし、仲間との楽しそうな交流の様子をＳＮＳで公開しまくることに血眼になっても仕方がない」という境地に達した。

元々「リア充・非リア」は学校のクラスの中だけで完結するカースト制度だったが、ネットの発達は生涯にわたる「リア充・非リア」のラベル貼りを達成してしまったのである。常時知人の生活を監視し、フォロワーがあいつはオレよりも多い……なんてことを嘆く。「いいね!」の数に一喜一憂し、ここでも再び「オレはやっぱり非リアなのか……」と悔しい気持ちになる。

私もそうした面は一時期あったものの、正直どうでもよくなってしまった。それと同時に、いちいち「リア充・非リア」「既婚・未婚」「子持ち・子なし」「ハンサム（イケメン）・ブ男」とかのラベルを貼ることに心底意味がないものだと思うようになったのである。

今、この手のラベル貼りをめぐり、ツイッターではしょっちゅう論争が起きている。そこでは相手を屈服させるまで激しい口調で罵り合い、異論に対しては集団で寄ってたかってボコボコにする。ラベル貼りはますます激しくなり「ネトウヨ」だの「パヨク」だの「フェミ」「ミソジニー」（男嫌い）だの思想を巡っても先鋭化していく。

そう考えると、15～20年ほど前のネットに巣食う「非リア」の皆様方はあくまでも自虐的に自らのラベル貼りをし、時に罵り合いはあったものの、淡々とマウンティングをしない交流をやっていたのだな、と思い出される。これはこれで今のネットを観察している身からすると案外「粋」にも見えてくるのだから不思議である。

実は彼らはあの時点で、現在私がようやく獲得することができた「リア充への憧憬を捨てる」という悟りの境地に入っていたのでは、と感じてしまうのだ。

「ウェブ2・0」崩壊

かくしてネット上のコミュニケーションについて実例を見てきたが、かつて「ウェブ2・0」という言葉があった。誰でも参加できるオープンでフラットなインターネットという空間では集合知が積み重なっていき、よりよい社会を生み出していく、という論である。最近でも「新型コロナウイルスは26〜27度で死滅するから白湯（さゆ）を飲めばいい」といった説が登場したが、すぐに「体温より低いだろ」などのツッコミが入り、デマは沈静化された。ネットではデマが拡散するスピードは速いが、収束するスピードはもっと速い。

そうした意味では「集合知」は確かにあるのだが、「ウェブ2・0」の理想である「自由な書き込み」についてはこの20年以上サイト運営者と罵詈雑言を書く人間の戦いであり、大抵は罵詈雑言を書く者が勝利し続けてきた。

どれだけユーザーの良心に期待してもそれは無理なのだ。誰もが書き込める場にしてしまうと、数名の「ならず者」がいて、荒らし行為を働いたり、連投をしたりする。2006年、ニュースポータルの「アメーバニュース」の編集者に私はなったが、他ニュースサイトとの明確な違いは「コメント重視」「ユーザーとの対話型」という実に牧歌的なものだった。

だが、公の場に書き込むことができると分かると、そこを根城として罵詈雑言を書き込む者も出てくるのだ。固定ハンドルネームを使い面白い書き込みをする人も多くいたものの、やはり差別用語を書いたり他人の実名を挙げて誹謗中傷するなどの例もあった。また、当時は雑誌のフリーライターや一般企業の会社員の副業とすべくそういう人たちを雇っていたのだが、ネットに慣れていない人々が多く「コメント欄の書き込みで凹んだ」「あの罵詈雑言を見るのが辛いのでもう書きたくない」と音（ね）を上げるため、彼らを慰めるのも私の仕事だったりした。

さよならコメント欄

アメリカ人女性が日本で生活をしていて疑問に思うことを書くだけで「だったらアメリカに帰れ！」をはじめとした罵倒が多数書き込まれるのである。幸い彼女は日本語が読めないため、コメント欄の誹謗中傷を読むことはなかったのが一つの救いだ。叩かれた記事のテーマと典型的な批判をいくつか挙げよう。

〈なんで日本ではクリスマスにKFCを食べるの？　アメリカ人からしたら謎過ぎる↓余計なお世話だ。アメリカに帰れ！〉

〈なんで日本では下着泥棒がいるの？　信じられない！↓お前みたいなブスの下着が取られるわけがない。嘘つきめ。アメリカに帰れ！　※ちなみに彼女は美人〉

〈なんで日本人は会議で何もしゃべらない人がいるの？　その人は参加しなくていいんじゃないの？↓情報共有が大事なんだよバカ。お前仕事したことがあるのか？　アメリカに帰れ！〉

とにかく何を書こうがこんな調子になるのだ。だからこそコメント欄は廃止しようかとは思ったものの、ただ単に大判焼きの写真を載せて「あなたの地域ではコレを何と呼びますか？」とだけ記事を出したら「回転焼き」「太鼓焼き」「今川焼」「大判焼き」などと各地特有の名前やら、とある店限定の名前などが書き込まれ、これには「来てるね、ウェブ2・0！」と感じたものである。

そして、我々はコメント重視の姿勢を見せることこそ差別化になると考えていたため、毎週の編集会議では「コメント大賞」を選んでいた。面白いコメントにはポイントを付与し、選者の感想なども添え、ユーザーの投稿意欲を高めようとしていた。

しかし、ある時から私のことを誹謗中傷するブログが立ち上がるようになる。それが一体なにかと言えば、「コメント大賞で表彰されて以来、アメーバニュースの編集者から私は監視されるようになった。私が考えたネタがいずれもその後、私よりも先に記事になるのである。何らかの情報が、あのコメント大賞によって筒抜けになっている」ということである。

以後、この人物は私に対する個人攻撃も始めるようになり、そのブログのコメント欄では明らかにこの人がおかしいこと、まさかそんな「監視」などできるわけがない、と諌める書き込みがあったが、まったくそれを信じないばかりか、私が監視をしている証拠が増えたと喜ぶ始末だった。

さらには殺害予告なども書き込まれるようになり、嗚呼……コメント欄は悲しいかな、わずか運用1年ほどで閉鎖となった。

ネットの善意に期待するのは無理

思えば私も甘っちょろかった。当時、甲子園のスターだった斎藤佑樹投手が「ハンカチ王子」と呼ばれて大ブレイクしていたが、秋になってもそのあだ名で呼ばれ続けることに「かわいそうだ」というコメントがあった。我々はウェブ2・0の申し子たるニュースサイトなのだから、読者のこの貴重な声に答えて企画をやるのだぁ〜！　とばかりに「【急募】斎藤佑樹選手のあだ名〝ハンカチ王子〟と呼び続けることが可哀想なので、新あだ名を募集！」という記事を出した。すると、ロクなあだ名が来ないのである。

書かれていたのは「汗かき王子」「汗だく男」「半勃ち王子」「ハンカチ玉子」「半ケツ王子」などのようなものばかりだった。こうしたあだ名が次々と書き込まれると、斎藤のファンからさすがに「こんなくだらない名前ばかり集まって斎藤君がかわいそうだ！　すぐにこんな企画はやめなさい！」とお叱りが来て、結局この企画はお蔵入りとなった。

そしてここ数年でも「ＢＬＯＧＯＳ」と「東洋経済オンライン」がコメント欄の運用を停止した。ＰＶは稼げるものの、もはやリスクになったと感じたのだろう。場合によっては誹謗中傷を放置した、ということで損害賠償請求を食らうかもしれないし、デマの発生源になるかもしれない。「ＢＬＯＧＯＳ」の田野幸伸編集長は、廃止の理由について「このような場を放置するのが忍びなかった」と語っていた。

「ヤフーニュース」はまだコメント欄は装備しているが、「ヤフーニュース個人」のように著者本人への罵詈雑言が寄せられるものについてはコメント欄を実装していない。また、明らかに差別的なコメントが殺到することが見込まれる記事にもコメント欄はない。２０２１年10月、ＡＩを使い、コメント欄の運用を厳格化することも発表された。実際、違反コメント数などが基準を超えたら、コメント欄が自動的に非表示となった。それにより小室圭さん関連記事は軒並みコメントが読めなくなった。ヤフーの場合はＰＶが稼げることもあり残しているのだろうが、正直どんな記事にもクソみたいなコメントがあるものだ。

２０２０年４月25日に私は「飲食店にとっての家賃の重み」という記事を出した。これは私が通っていたスナックの存続のために家賃を１７０万円貸し、20万円はあげ、そのうち50万円は戻ってきた、という話だ。コロナの時代、家賃が相当な足かせになっていることを受けての記事であり、これは「マネーポストＷＥＢ」からヤフーに配信したもの。すると、多くのコメントは「最初から家賃なんて分かってるだろ。バカか。公務員のオレ、勝ち組」「飲食店なんかいらないし儲からない業態だからやるヤツがバカ」といった意見だ。

さらには、「著者が自慢したいだけのクソ記事」なんてことも書かれる。要するに「190万円を払えるオレ、すごいでしょ?」と解釈されたのだ。まぁ、ヤフーがいつまでこのクソ肥溜め空間を維持するかには注目しているが、イライラしていたり、とにかく文句をつけたい人間というものは一定数存在するのだから、オープンなコメント欄というものはもはや時代の趨勢(すうせい)とはかけ離れたものであろう。

そういった意味で言えば、ネットの善意なるものに期待することは無理だし、そのつもりでサイトは運営していくべきである。

一方、運営者がどこの誰かもよく分からず、アングラな世界で新参者が入るにはハードルが高い5ちゃんねるは、ある程度の秩序があると感じられる。何しろ空気感が20年前とあまり変わっていないのだ。さすがに「半年ROMれ」や「詳細キボンヌ」「今北(いまきた)産業」などの言葉を使う者は絶滅危惧種になっているものの、シニカルで罵倒合戦が時に発生し、しかしながら冷静な意見も散見されるというネットリテラシーが高い者たちの空間である。

彼らは往々にしてツイッターユーザーやヤフーのコメント欄ユーザーをバカ扱いする。特にツイッターの場合は、バカッター等で「身バレ」して人生が破滅に追い込まれたバカに対して「5ちゃんでやればいいのになｗｗｗ」なんてことを書かれてしまう。

かつては2ちゃんねるは怖い、修羅の国、といったイメージがあったが、今はよっぽど「Ｙａｈｏｏ！ニュース」のコメント欄とツイッターの方が修羅の国である。多分それは「バカ率」の低さによるのだろう。今では私は世間の意見や反応を知るにはツイッターとヤフーのコメント欄よりも5ちゃんねるの方が参考になると考えている。何しろツイッターではいい年こいた男女が極論を述べて怒り狂っているし、かつて憧れたようなライターが完全に老害に成り果てている様などを見て一抹の寂しさを覚えてしまったりするのだ。

コロナ「ヤバ過ぎ派」と「騒ぎ過ぎ派」

本当にコロナ騒動はさっさと終わって欲しい。後世の人が断言するだろうが、少なくとも日本においては、２０２０年1月から２０２1年10月までの死者数1万８０００人強の「新型コロナウイルス」はそこまでもヤバくない。

だが、2020年から2021年にかけ、コロナ「ヤバ過ぎ派」と「騒ぎ過ぎ派」の争いがあった。同様の対立が2011年にも存在した。

この2年ほど、コロナ騒動とメディアの報道について逐一見続けたが、既視感があったのだ。それは「テレビに登場する専門家があてにならない」ということと、「ネット上で恐怖が蔓延する」という2点である。

一体何の件かと言えば、2011年の東日本大震災に伴う福島第一原発の事故の際のメディアの報道と人々の反応だ。初期の頃、原発の専門家が登場し、「圧力容器は溶けない。メルトスルーはしない」などと言ったが、実際は圧力容器は溶けていた。それだけ想定外の大問題が発生したのだろうし、原発の安全神話を信じていた専門家からすれば起こってほしくない事態だったのだと思われる。

そして、当初の楽観論が崩れてくるとテレビは放射線の恐怖を伝えるようになった。まさに手のひら返しである。レポーターがガイガーカウンターを持ち、「東京でも○○シーベルトを超えています！」などとやっていた。国会前や公園での原発反対デモを積極的に取り上げ、全国民が原発に恐怖しているかのような演出をした。当初テレビに出演していた専門家は「御用学者」と罵倒されるようになり、とんと出演しなくなった。そして、ネット上では真偽不明の情報が流れるようになっていく。

漫画『美味しんぼ』では主人公の山岡士郎が福島へ取材に行ったところ鼻血が出た、という描写があり、これは福島の人々からすれば明確な風評被害である、と抗議の声が上がった。

現在のコロナにも通じるのだが、ゼロリスクを求める人というのは必ずおり、「鼻血が出る可能性もある。私も出た」と意見したり、「福島の子どもたちが甲状腺がんにかかっている」といったデマ情報が幅広く流布された。

その結果発生したのが、関西以西への移住である。関西に行けば放射線を回避できると考えた人々が東京を脱出した。こうした人々に対しては「放射脳」といった揶揄をされたが、本人たちは真剣だったろう。そこはあまり批判しないでもいいのでは。

原発を巡っては坂本龍一氏が原発反対の集会で「たかが電気」と言い、「電気がなくちゃあんたらの音楽できないだろう」といったツッコミがされた。とにかく2011年の春から夏にかけてネット上は放射線と原発をめぐり日々ケンカが発生していた。現在のコロナを巡る「コロナヤバ過ぎ派」と「コロナに騒ぎ過ぎ派」の争いに似ているのである。

福島差別と東京差別

今回のコロナについては騒動開始からもうすぐ2年になるが相変わらず分からないことが多く、日々新ネタが投下されて両派の激突が連日のように展開されている。「人流と酒が悪い」と述べた専門家とメディアはもはや当初の設定を崩せず、2021年9月段階で陽性者が激減しても「不自然」と言うしかなかった。テレビに登場する専門家についても、信者もいればアンチの両方がいて、日々専門家やコメンテーターがネット上の話題になっている。

いくらネットが発展し、地上波テレビがオワコン扱いされてもやっぱりテレビの影響力は凄まじいし、ネット上の議論の起点となり続けているのである。

さて、あの時と本当に今は似ている。震災と福島原発事故においては「絆」という言葉が多数取沙汰され、助け合い精神はあった。だが、被災地、特に福島原発近くの住民への差別は凄まじいものがあったし、仮設住宅の住人に対しても「無料で住んでパチンコばかりしている。補助金頼りでぐうたらしている」といった批判も寄せられた。

もちろんそういうマインドの人もいただろうが、突然生活を破壊された人に立ち直る気力はなかったかもしれないし、もはや高齢で新しいことなどできない人も多数いただろう。挙句の果てには東京や埼玉に引っ越した子どもたちは学校で「放射能がうつる、あっちへ行け」などといじめられたりした。

今回のコロナ騒動でも、当初はアクティブシニアが散々批判に晒された。途中から陽性者数の多い東京が差別された。ネット上では「トンキンいい加減にせぇ！」などと東京たたきが過熱。東京名物のお菓子「東京ばな奈」にかけて「東京ころ奈」といった言われ方もされた。他県ナンバー狩りも発生し、東京からの帰省者が来た家には「帰ってください」の貼り紙がされた。

２０１１年と２０２０〜２０２１年、約10年の時を経ても結局ネット上でもリアルでも差別をし続ける状態が続いているのだ。そして、常に誰かのせいにされ、叩かれる。前回は東電の管理体制のまずさと政府の対応が非難された後に、今度は福島の住民が非難された。常に誰かを悪者にしなくては心の平穏が保てないのが人間というものの性なのである。

「コロナも震災も似たようなものです」

今回のコロナで悪者にされた人々を振り返ってみる。

中国から帰ってきて日本初の陽性となった中国人男性／クラスターが発生したタクシーの業界団体が使った「屋形船」／タクシー運転手

これがごく最初のケースだが、テレビでは「屋形船は危険だ」といった言われ方までされた。今考えれば確かに「密」ではあるものの、別に「屋形船だから危険」という言われ方は業者からすれば不本意だろう。しかも、タクシーの業界団体が屋形船にいたことから「タクシーのような密閉空間は危険」というところまで発展してしまった。当初の「タクシーは危険」イメージがあったからこそタクシーはシールドを貼り、マスクをしない客は断っても構わない、といった対応になったのだ。以後、悪者にされた人々をさらに見てみよう。

中国の春節客への歓迎の意思を示した安倍政権／ライブハウス／K－1／ガールズバー／パチンコ店／ジム／学校（恐らくインフルエンザによる学級閉鎖のイメージがあったものと思わ

れる）／クルーズ船／合コンで陽性になった疑いのある阪神タイガース・藤浪晋太郎／アクティブに動く高齢者（バス旅行やジム）／ＧＷに地元に帰省した若者／「夜の街」関係者／ホスト／新宿区歌舞伎町／クラスターを出した病院／石田純一／Ｇｏ Ｔｏトラベル／それに伴う観光業／Ｇｏ Ｔｏを推進した二階俊博氏と菅義偉氏／酒／若者／ワクチン未接種者／旅行する人／東京を含めた都会人／カラオケに行く人／オリンピック

そして２０２１年９月までは「高齢者にうつす若者」と「飲食店」が２大悪者にされていた。ワクチンを打たぬ者も「利他でありなさい！」と批判される。テレビはしきりと自粛警察を「やり過ぎだ」と批判する。だが、テレビこそわざわざ夜８時以降に開放的な東京・新橋の公園へ行き、「あ、あの人たち、マスクをはずしてお酒を飲んでますねぇ！密になってます！」と自粛警察になっている。緊急事態宣言が延長された時も、「外で誰かと酒を飲む人」も第３の悪人扱いにされ、「許すまじ！」となってしまった。結局常に犯人探しをし、謝罪するまで追い込む状況は東日本大震災の時と変わっていないのだ。あの時も東電の従業員や幹部が土下座をするまで世間の「風」は追い込んだし、土下座をしても許さなかった。

ネット上のこうした糾弾体質というものは福島の事故の時と変わっていない。前述の通り2021年2月に福島第一原発を取材した際、被災地の住民男性（40代）は飲み屋で当時を振り返り、現在の状況も考慮に入れながら淡々とこう語った。

「コロナも震災も似たようなものです。対処法は同じ。もう自分でどうこうできるものではないんですよ。それなのに恐怖を煽ったり、当事者を批判するばかり。コロナの場合、マスク着用・手洗い・うがい、『3密を避ける』ぐらいしかできることはない。自分の管理でしかできないのだから、それをしっかりやるしかないんです。地震の時も『逃げる』『高いところに行く』ぐらいしかやることはない。誰かのせいにしても仕方がないんです」

達観したような同氏のコメントには、相当イヤな目に遭った結果こんな境地に達してしまったのだろう、という気持ちを感じた。もうあの事故から10年が経つ。コロナですっかり風化したかのようにも思える原発事故だが処理水の海洋放出問題や、被災者の生活再建など、まだ収束への道のりは遠い。

終章
炎上するバカさせるバカ

コロナは思想であり宗教

ネット使用により、親戚とも断絶するに至った。もう無茶苦茶である。私自身、新型コロナウイルスについては2020年5月上旬まではテレビを中心としたメディアの報道を信じて「未知の死のウイルス」という扱いをし、恐ろしい存在だと思っていたが、それ以降は色々データを調べたのと自身の実感から「少なくとも日本ではそこまでヤバいウイルスではなかったのでは?」というスタンスに立ち続けてきた。

以後、コロナを過度に恐れる人々とは距離を置きつつ、批判をしてきた。ツイッターでは、コロナに対して「そこまでヤバいウイルスではない」派と仲良くなり、相互フォロー関係になったり、互いのツイートに「いいね」をつけるなどしてきた。

コロナというものは基本的にはもはや「思想」であり「宗教」である。このウイルスを「ヤバい」と思うか「そこまでヤバくない」と思うかは、個々人が置かれた立場によって異なる。私は自分自身が一切陽性にならない。いや、陽性になったかもしれないが、まったく体調が悪くならないうえに、知り合いで陽性者は3名出たものの、遊びまくり飲みまくる知人がまったく陽性者にならない。さらに、欧米各国と比べ、死者数は人口比で圧倒的に少なく、高齢者へのワクチン接種が進んだ後の死者数が激減したこともあり、「恐ろしい殺人ウイルス」との実感がまったく持てないのである。どんどん弱毒化したというのもあるだろう。

しかし、テレビは連日のようにコロナのヤバさを喧伝し、陽性者数の増加を喜々として報じる。「○曜日としては最多」や「○曜日としては2番目に多い」「デルタ株は若年層も重症化する」「デルタ株は驚異の感染力」「すれ違っただけでも感染する」などと2020年2月以降、1年9ヶ月にわたって恐怖を煽り続けた。

救い神のような扱いの専門家

2020年、日本での死因において新型コロナは30位台のウイルスである。あくまでもヤバいのはメディアの中の話である、ということを私は日々のツイッターで述べてきたし、そうした論を述べることで過度な自粛をする必要はないのでは？　と問題提起をし続けた。

結果的に2020年の超過死亡数（平年の死者数を基にした予想死者数と比べた人数）はマイ

ナス９７００人ほどになり、日本人の平均寿命は過去最高となった。

これのどこが殺人ウイルスなのか……。

しかし、２０２０年以降、すっかりと世間から救い神のような扱いを受け、仕事のオファーは殺到し、ツイッターのフォロワー数が激増した「感染症の専門家」は、恐怖を延々と煽り続けた。

２０２０年2月、クルーズ船ダイヤモンド・プリンセス号に許可なく乗り込み、追い出されるまで勝手に船内を撮影し、その後ＹｏｕＴｕｂｅで日本の対応を批判する動画を公開して世界中に日本叩きの根拠を与えた神戸大学の岩田健太郎教授は、一躍メディアの寵児になった。書籍オファーも来て岩田氏にすがる人々も続出した。同氏は２０２１年8月、こうツイートした。

〈とりあえず今は非常時なので命と健康を優先させるべきです、少なくとも、一定の地域では。体育も友人関係もあとでいくらでも取り返せます、生きていれば〉

散々行動を制限された若い人に「今だけ我慢すれば今後いいことがある」と言い放ったわけだ。50代の同氏と子供・若者の2年間が同じなわけがない。私はこれに対し、猛烈な違和感を覚えた。これ以上「専門家」に好き放題言わせていたらもうこの国はおかしくなる。実際、彼らの自粛命令に従った律義な日本人は出会いの機会も減少させ、婚姻数も減った。2021年の出生数は統計開始以来最低になることだろう。

どちらも救いようがない

若い人々への自粛を要求し、「感染しないことこそ社会のためになる」との価値観をすっかり植え付けた岩田氏を含めた専門家に私は直接異議をツイッターで述べることはなかった。しかし、この時はさすがに「まだ若い人に我慢を強いるのか?」と呆れ、こう同氏にメンションを送った。

〈そろそろ調子乗るのやめてもらえませんか? いつまで「非常時」を言い続けて注目を浴び、信者から感謝される人生を続けたいのですか? あなたの個人的な快感と承認欲求を満たす発言が、本当に社会全体をおかしくするのですが。日本人はバカが多いのであなたを信じるのです。批判にも向き合ってください〉

岩田氏はこれにこう返事をしてきた。

〈日本人がバカが多いとは必ずしも思いませんが、あなたのコメントがまったく的を射ていないのは事実です。この問題でぼくらが快感を得ていると信じ込んでいるなど、あなたの脳内にしかない空想世界です。調子に乗ってるのはあなたです〉

私はこう反論した。

〈あなたが調子に乗ってるだけです。本当にいい加減にしてください。あなたはダイヤモンド・プリンセスに数時間乗り込んで世界に「日本の恥部」を晒して悦に入ったかもしれませんが、その後、欧米各国よりも日本がマシだったことについてはだんまりを決め込む。それで今も恐怖を煽り続けています〉

これにより、岩田氏からは無事ブロックされたため、私も当然ブロック返しをした。コロナという「宗教」はもはや対話が成立しないのである。「コロナはヤバ過ぎる」と考える人間と、「コロナはそこまでヤバくない」と考える人間はまったく相容れない。2020年2月から終始「ヤバ過ぎる」派が優位だったが、理由は「専門家」がその側に立ったからである。我々は常に「素人が勝手なことを言うな」「素人のくせに専門家様に異議を唱えるな」と叩かれ続けてきた。

岩田氏とのやり取りもまさにこの典型例なのだが、ここに割って入って来たのが私の義姉である。岩田氏の「調子に乗ってるのはあなたです」という私への返答に対し、ツイッターでこう岩田氏にメンションを送ったのだ。

〈まったくそう思います〉

さらに、後にこう書いた。

〈岩田先生　薬剤師をしています中川の親類です。新人だった頃岩田健太郎先生の書籍で研修医の先生方と知識を高めあったりしてました。中川氏はなんでこんな失礼な事を書いてるのか、ちゃんと取材して述べてるのか…恥ずかしいです。本当に申し訳ありません〉

完全に余計なお世話である。私は岩田氏に正論をぶつけただけで、保護者ぶった義姉（しかも年下）に謝ってもらう筋合いは一切ない。

義姉には反論をし、縁を切る宣言をした。私の意見に賛同する人々は彼女を批判。恐らく岩田氏の支持者は私を批判しただろう（不快になるのでいちいちエゴサーチはしない）。これは２０２１年８月23日の朝発生した「プチ炎上」騒動である。

今後、私は義姉に会う気はないし、彼女も私には会いたくないだろう。ネットというものは、こうして親戚とはいえ、意見の相違により、容易に人間関係をぶっ壊してくれる。

炎上はしないに越したことはないが、ネットがある以上炎上はついてまわる。それはそれで割り切って、現世での人間関係を皆さん大事にしてください。そして、ネットで現れる本音の感情は案外その人物の本音でもあるので、リトマス試験紙として縁を切るべき人間を見つけられるかもしれない。

長年にわたる炎上を本書は振り返ったが、自分なりの結論としては「宣伝材料がない人間はネットで情報発信などすべきではないな」という2000年代前半からの結論に戻った。人間はまったく進化しないバカである。炎上するバカ、させるバカ、どちらも救いようがない。

本書はウェブメディア「ＦＩＮＤＥＲＳ」に掲載された「中川淳一郎の令和ネット漂流記」に大幅加筆したものです。

中川淳一郎［なかがわ・じゅんいちろう］

1973年東京都生まれ。博報堂で企業のPR業務に携わり、2001年に退社。雑誌のライター、「TVブロス」編集者等を経てネットニュース編集者に。2020年にセミリタイアし、現在は佐賀県唐津市に在住。著書に『ウェブはバカと暇人のもの』『縁の切り方』『夢、死ね!』『バカざんまい』『恥ずかしい人たち』など。

編集：酒井裕玄

炎上するバカさせるバカ
負のネット言論史

二〇二一年　一一月三〇日　初版第一刷発行

著者　中川淳一郎
発行人　鈴木崇司
発行所　株式会社小学館
〒一〇一-八〇〇一　東京都千代田区一ツ橋二ノ三ノ一
電話　編集：〇三-三二三〇-五九六一
販売：〇三-五二八一-三五五五
印刷・製本　中央精版印刷株式会社

Printed in Japan ISBN978-4-09-825412-5